DIY
3

動靜國際有限公司

來去大阪、京都

DIY
完全自助旅遊
3

動靜國際有限公司

來去大阪、京都
kwaito-point

DIY
完全自助旅遊
3

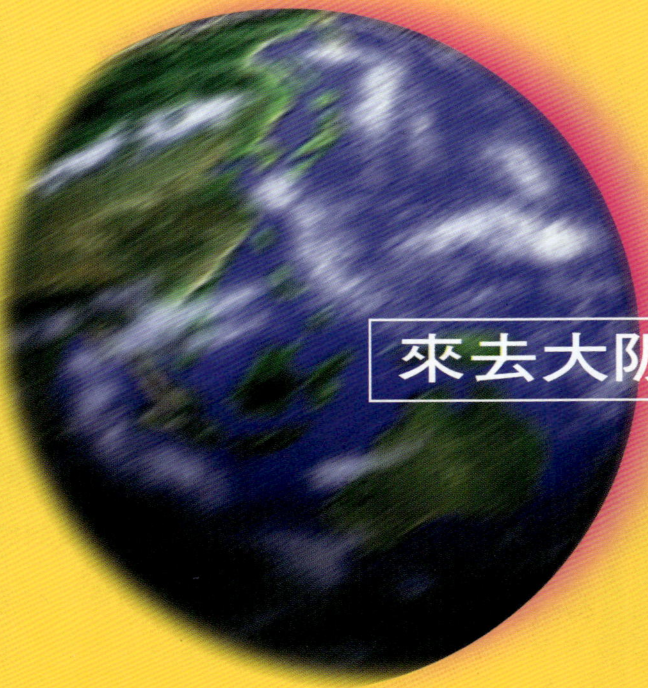

來去大阪、京都

studio poin

　　第1次的關西之旅也是我

1次的自助旅行，5年後再次來

這個地方，變化竟如此地大，

是感歎日本建設的迅速，像是

阪梅田一帶的變化更大，整個

下竟似另一個都市，人們的生

好像分為地上跟地下兩種完全

同的世界，地上是屬於繁華進

的商業中心區域，而地下卻是

物美食的天堂。

　　而京都的美卻是永遠不變的

再次回到這個古都，所看到的

與我5年來夢裡的回憶完全沒

兩樣，想來京都的沈靜與古典

要再令我感動五年了。

奈良的鹿是最令人難忘的，您

以在整座奈良公園看到可愛的鹿，走來走去的，感覺上就像是溫馴可愛的寵物，一定會讓您有一個美好的旅行回憶。

筆者有幸在幾年後的現在，可以看到一家有良心的出版業者，願意斥資邀請作者親身至當地旅行，並將過程詳細地拍攝下來，並以文字詳盡記錄，而何其幸，筆者能夠在執筆「來去九州」後再為讀者著手收集著寫這本書。

由於本書的寫作前提，是以完全不懂日文的人能夠在日本當地自在遊玩為考量重點，故在資料上的搜集儘量要求詳實完整，並提醒讀者在行程當中可能會發生的問題與解決方案。甚至在書後提供「救命符」予讀者在當地受困時使用，根本不需擔心不懂當地語言，而有無法溝通的問題。

在行程上的安排，也儘量考慮各種出外旅行可能會有的需求，像是以玩樂為主要目的，或者是休閒、購物等其他目的的旅行方式，我們都儘量收錄在其中。

在此，並誠摯地希望有意前往「京都大阪」旅行的讀者，能因此書的幫助而有輕鬆愉快的旅遊經歷。

目 錄

其　他

✿ 救命符
P.177

✿ 飯店資料
P.185

Set-0

出國計畫

行前準備篇

預算規劃篇

關西簡介與交通

準備自助旅行最重要的一件事，便是出發之前資料的搜集。一份詳細的資料能令您輕鬆自在地享受旅行的快樂，並真正地達到休閒的效果。在之前的「來去九州」裡，我們提供了幾點安排自助旅行的要點，這一次我們也不例外，為您附上一些旅遊小祕訣。

在這次關西之旅行前，您除了仔細閱讀本書外，還可以上網查詢關於旅遊地的最新資訊；運氣好的話，說不定剛好遇上航空公司或飯店舉行促銷活動，還可為您省下一筆費用。

至於出發日期的規劃可以看看當地有無慶典活動，這樣在行程安排時就不會錯過精采的民俗祭典。在出發之前，請先確認以下動作，讓自己能夠在充份的準備之下，快快樂樂地出門，順順利利地回家。

護照辦理

出國旅行時，一定要確認有無護照及當地簽證，如果這2種證件您都沒有的話，請參考以下方式申請辦理。

護照【旅券、パスポート(passport)】費用：NT$1,200

您可以透過旅行社代辦，或者自行至中華民國外交部領事事務局台北、台中、高雄辦事處申請護照。需要7-10個工作天，為保守起見，最好在出國前的2個星期前申請。

申請護照，需要2吋相片三張、身分證正本及正反影印本各兩份、戶口名簿或最近六個月內申請之戶口謄本、退伍令(女性可免)。

出國前請將護照號碼抄下來，另外將有生日及照片的頁數影印一份放在家中，當護照遺失時，可儘速申請臨時護照回國。

護照辦理地點：

● 台北　台北市濟南路一段2-2號3樓
TEL：(02)2343-2888或台北市基隆路一段333號23樓外交部領事事務局

● 台中　台中市民權路216號9樓
TEL：(04)222-2799

● 高雄　高雄市中正四路253號6樓
TEL：(07)211-0605

辦理簽證

申請簽證(ビザ)，需中華民國護照正本、相片兩張(如護照申請已超過六個月須和護照上之相片不同)、身份證正本，至日本交流協會申辦。

如果自行至交流協會排隊辦理的話，當天就可以下來了，但根據我的經驗，如果您不是「櫻櫻美代子」，最好不要自己去辦，透過旅行社去辦是最省時的。從收件至交件需3個工作天。

申請方式：可至日本在台的駐外領事機構申請核發。

● 中日交流協會台北事務所
台北市敦化南路1段245號10樓(新光人壽敦化大樓)　TEL：(02)2741-2116
● 中日交流協會高雄事務所
高雄市三多一路174號4樓　TEL：(07)771-4008
● 簽證種類：(以觀光為目的者)

辦理結匯

日本是個盛行刷卡的國家，所以在現金的準備上以夠用為主要基本原則。筆者建議在出國之前就先將機票、旅館等大筆費用先在台付清，這樣出國時就不需要帶太多的現金，請參照行程內容準備所需現金。

通常臺幣對日幣的匯率是1:0.25左右，出國之前最好直接換好日幣，而不要先換成美金後到日本再換日幣，以免造成匯率的損失。

通常結匯時銀行都會給您¥10,000的大鈔，最好要求銀行給您一些¥1,000的鈔票，免得到了當地的商店可能會讓人找不開。尤其日本許多購票機都只接受1000元紙鈔及硬幣，所以1000元最好多換些備用。

出國的時候別忘了備留台幣，1.往返家與機場的交通費2.預備費用。這2項費用可是一定要準備好的。

種類	內容	費用
三年多次	此種簽證在三年之內不限次數地讓您出入日本觀光，但每次只能停留15天。	NT$1,500
一次三個月	此種簽證最適合有親友在日本而需要長時間居留的人，但是年輕女子如果沒有辦法拿出當地親戚證明的話，最好不要自找麻煩，免得出國不成，還被懷疑去作「國民外交」。	NT$1,000

機票

出發前一定要確認機票、簽證、護照、錢這四項出國旅遊必備的4大法寶是否已經準備齊全。旅遊旺季的時候，最好在出發前3天再跟航空公司或旅行社確認位子是否OK。但是如果您已經拿到機票的話，就不必再另作確認。

準備行李

打包行李時記得將托運行李和隨身行李分開裝好。貴重物品和常備藥物最好是隨身攜帶。在此提供幾項必備行李內容。

◎旅遊手冊

即使您行前規劃做得再怎麼完善，可能都會有疏漏之處，出門之時千萬不要因為怕重而沒有帶書出門，尤其當您語言不通時，完善的工具書是很重要的救命工具。

◎相機、底片

出發前先確認底片跟電池是否準備充份。如果底片不夠的時候可以至日本的便利商店或者是照相館【日文說法：寫真屋(ShaShinYa)】買就行了。

◎衣物

準備出國旅行的衣物請以輕便為主。日本的夏天氣溫很高，熱的時候可能會高達38度，但是並不會像台灣這樣溼熱。如果帶去的衣物不夠替換，建議您可以自己在飯店洗一洗，因為日本的空調系統不錯，輕便的衣物前一天晚上洗，到了隔天早上起來就乾了，根本不需要脫水。

冬天去日本，只要帶一件厚實的大衣，身上穿著輕便的衣物即可，因為只要一進入室內，暖氣的熱度就會熱得讓人穿不住大衣。如果在行程的安排上會玩到水的話，請別忘了準備泳衣跟防曬用品。

另外，再準備一套正式的衣服和鞋子，以便前往高級場所時穿著。即使在夏季旅遊時，也不要忘了加一件薄外套，以防當地氣候變化。

◎ 化妝品

日本是很注重面子的國家，如果您有可能去比較高級一點的餐廳，最好還是帶著彩妝用品，不要以為「自然就是美」堅持不化妝。男士方面，也請盡量打扮整齊一點。

◎ 常備藥物

有宿疾者必須攜帶足夠服用的藥物，此外不妨準備暈機藥、感冒藥跟OK繃等一般藥品。氣候的改變也有可能引起皮膚不適，尤其冬日，一定要準備嬰兒油或乳液之類的保養品，否則皮膚是極易凍破的。

● 注意事項

托運行李不得超過2件，經濟艙以不超過20公斤、商務艙以不超過35公斤為主。這點在出國時可能大家都還能做得到，但回國時多半會因為購物而不小心超重，所以出國前請將可能會購買物品的重量計算妥當。

預算規劃篇

安排出國旅行的預算規劃相當重要，一般而言如果是跟團出國比較沒有什麼問題，只要準備自費行程的費用跟購物送禮部份的就可以了；但如果是採取自助旅行的方式，就務必要算得精確一點，免得到國外時叫天不應、叫地不靈，那可就慘了。也許會有人說帶張信用卡就行了，現金不夠時還可以預借現金。除非您能確認日本每個地方都能刷卡，或者是到處都可以看到信用卡專用的預借現金機，不然您很有可能會流落他鄉。

現在，就讓我們來為您介紹到日本旅行時，所會面對的食、衣、住、行等的費用問題，在本篇後面並附上「預算甜甜圈」的表格，讓您能清楚得知整個旅行過程需要花費的項目有哪些，以便您出國前就能確實地擬出預算，然後快快樂樂地出門、平平安安地回家。

住的方面

旅費中除了交通費用，最大的花費應該就是住了。您可以考慮利用航空公司自由行的套餐組合方式，其優點就是可以用優惠的價格享受觀光級的飯店。預訂當地青年旅社就算是全自助的方式了，需要靠您自行至各地青年旅遊服務中心找尋資料，在此提供您一個網址www.iyhf.org，這是IYHF (International Youth Hotel Federation)的網站，您可以利用它事先訂房及找到您想要的資料。

還有一種方式就是直接請旅行社代訂飯店和機票，您可以跟旅行社說明希望居住的飯店及價位預算，這樣就可以兼顧您的預算及理想。

※ 來去大阪、京都

觀光飯店

選擇觀光飯店(ホテル-HoTeRu)的理由，是讓各位不必擔心語言上溝通的問題，在飯店裡如果有任何問題或請求時，大可利用簡單的英語溝通，而不必擔心沒人搭理。

預定觀光飯店最好是透過旅行社來安排，價錢會比自己訂的划算很多。這就像是訂機票一樣，直接跟飯店預定通常都是以定價來計算，而透過旅行社往往可以有令人意想不到的折扣。

或者您也可以利用航空公司所推出的旅遊套餐，也就是機票+飯店的安排，會比您分別去訂的價錢來得便宜。總而言之，凡事多多比較，絕不吃虧。

日式旅館

日本的旅館(りょうかん-Ryokan)是指日式風味且有榻榻米住房的飯店，通常放設一張矮桌，如果有陽臺的話，便放置一張小桌及二張椅子。白天室內不放置寢具，晚飯後女服務會替您整理好柔軟舒適的被褥。早餐或晚膳有時也可送到您的房間內享用。

住宿溫泉旅館無疑是體驗日本傳統風俗習慣和生活的好方法，因為包含和式餐點的關係，價位多半都會比飯店來得高一些，平均一人一夜的食宿費用是10,000至60,000日幣不等。想想穿著和式的浴袍坐在榻榻米上喝茶、吃飯的感覺，真是日本味十足的體驗！

青年旅社

這是學生最常使用的住宿形式，通常這種旅社都是透過國際的學生訂房組織代為訂房，價位上非常便宜，大約為￥3,000左右。唯一的缺點就是大多位於偏遠之處。如果不是刻苦耐勞型的人，也許會受不了要花多一點交通時間與經費才能至市中心。訂房方式請參照行前準備篇。

行的方面

到外國旅遊除了住要先安排之外，在行的規劃方面我們也必須格外注重，接下來讓我們為您介紹一下到京都、大阪、奈良旅遊的時候需要哪些交通費用。

機票

以目前台灣的旅遊市場而言，透過旅行社買機票會比直接跟航空公司買便宜，以日本航線來說，跟旅行社購買的價格會比票面價便宜3000-5000元不等。所以在此建議您跟旅行社購買，將省下來的錢購買旅遊意外保險，增加自己的保障。

有航空公司優惠卡的人，只要在回程時將機票影印及登機證寄交航空公司就可以累計您的里程了。至大阪的機票價格在￥12,000-￥15,000左右。(價位計算以經濟艙為主)

另外由於日本在以下幾個時段裡，盛行國內旅遊，從大都市到鄉村，幾乎所有長途火車、汽車、汽船、國內班機及住宿都會被訂滿，請注意在幾個月以前就要預訂交通及住宿。

1.歲末新年
(11月27日至1月4日及緊接的週末)
2.黃金週假日
(4月29日至5月5日及緊接的週末)
3.中元節
(8月中旬左右)
4.8月的暑假期間

在訂定行程時應儘量避免安排以上時間，通常在旅遊旺季期間，航空公司都會加價，有時會多出兩、三仟元的預算也說不定。

票別	內容	票價
旅遊票	此種機票最適合出國旅遊的人，但缺點便是不能隨意變更目的地。如果臨時要取消行程的話，得注意要在票期(通常是3個月)內辦理退票，或繼續使用。	中間價位
團體票	顧名思義就是適用於一般團體使用的機票，但是由於航空公司只對旅行社開票，故如有此需求，則可透過旅行社購買，通常我們可以藉由廣告得知旅行社販賣此類的機票，缺點就是不能任意更改行程。	較便宜
年票	這種是最適合長期旅行或行程期間未定之人，只要在一年之內都可以使用。	較高

* 來去大阪、京都

旅遊平安險

　　為求保障，現在大多數的人出國都會多買一個保險，以求心安。基本上買機票時所附的意外險，只有保障您搭乘此飛機發生意外時，才會理賠；而透過保險公司所投保的意外險，則是從出門至回家的這一段路程都會受到保障。

行程內交通部份

　　請參照各行程內的費用明細，並依自己所選擇的行程內容來計算所有交通費用，在此部份的交通費用，請務必準備日幣現金使用。但是在ＪＲ的長程車票部份，有時侯是可以利用信用卡付費的，請注意行程內的說明，若計畫使用信用卡，就不需要再準備這部份的現金。

食的部份

　　在這方面的預算實在很難估計，因為每個人對吃的要求不同，如果以最經濟而又實惠的計算方式，一天兩餐大約花￥800-1,500之間即可搞定，或者您可以參考本書行程內的餐食作為您費用的預算，在行程內飲食的安排多半都是以當地的特產為主，不妨試吃看看。

　　透過以上的介紹之後，相信您大致可以明白如何安排行程了，以下列出幾個項目，供您安排預算時利用。

預算甜甜圈表

Set-0

項目	需要	費用估計	備註
護照	是	NT$1,200	詳見「行前準備篇」
日本簽證-三年多次 (一次3個月)	是	NT$1,200 NT$ 800	
機票	是	NT12,000-15,000	以當時價格而定(經濟艙)
旅館每晚	是 小計		價格的估算請以旅行社 提供為準
機場稅	否 是	¥2,650	中正機場不需要 關西機場
家到機場往返費用			計程車 機場巴士 親友接送或自己開車
日本行程交通費			請參考本書內的行程 套餐
三餐費用			請參考本書內的行程 套餐
景點門票費用			請參考本書內的行程 套餐
購物預算			因個人預算而定
總計			

* 來去大阪‧京都

關西簡介與交通

可能有很多人不知道,日本最初的文化及政治中心是從關西一帶開始的。在西元四世紀時大和朝廷以此地為中心建立了王朝,至八世紀時建立了奈良的平城京,後來再建立京都的平安京,一直維持到明治維新正式遷都東京為止。關西在日本人心目中向來是皇室正統所在地,人口僅次於關東地方,位居全日本第二位。本區最重要的工業地帶就是面臨大阪灣的阪神工業地帶,最初是以棉紡起家,現今已發展為機械、石化等重工業區了。

由於此次的行程安排是以大阪、京都及奈良的旅遊景點為主,在此對於各地的發源歷史特色作些介紹。

大阪

大阪位於日本的中部,是陸海空交通的要地,以人口數名列日本第二大城,為日本文化重鎮。自四世紀後半以來,大阪一直是日本與海外各國進行交流的窗口,並為國內外人士聚集、發展的地方。在政治、經濟、文化等方面成為日本的先驅,且為日本的發展帶來了重大的貢獻。

經過江戶時代(1603-1867),大阪被稱為「天下廚房」,並成為日本經濟、金融的中心,藝術、文化亦進一步昌盛。面對即將到來的二十一世紀,大阪朝向一個現代化的國際都市繼續發展,開創新的歷史。

京都

曾為日本國都達千年之久。第二次世界大戰時幸運地躲過槍林彈雨的摧殘,飛躍發展的日本現代化亦尚未完全征服這個群山圍繞的古都:重重廣廈之間,夾雜著古意盎然的傳統木屋,雅緻肅穆的古寺星羅棋布,京都正代表著日本的新與舊。

京都的寺院號稱八百座,據說實際上是這個數字的兩倍,囊括了日本現有佛教的所有宗派。每一寺院各有其特色,令觀光客眼花撩亂,百看不厭。

京都也以傳統的手工藝工業聞名,產品包括和服的織染、陶瓷器、酒類、扇子、漆器、人形刺繡等,均具有濃厚的日本風味,是送禮的佳品。

奈良

以大佛、鹿及古代美術聞名於世的古都奈良，東有春日山、若草山，西有生駒山、金剛山環繞，是個古色古香的觀光都市。

距今約一千三百年前，元月天皇定都於奈良名為「平城京」，之後七代約七十年間為日本政治、文化中心，亦為佛教藝術之開拓地。當時日本與中國之文化與佛法交流頻繁，受中國影響至深，舉凡寺院建築之風格、色彩均承襲中國。

奈良除了是個文化古都之外，一般的庶民產業亦相當有名。自古以來，此地的筆、墨、一刀雕人形、漆器、奈良漬物等均是富有古都風味的特產。

日本國鐵-JR

關西地方的民營鐵路相當發達，交通幹線之密集並不輸東京一帶，在此介紹關西地區主要的幾種交通工具。

到過日本自助旅行的人應該都曾聽過日本國鐵-JR(Japan Railway)的名聲，目前有一種車票是供觀光客在關西地區使用。有「JA-West Rail Pass」「Kansai Area Pass」跟「Sanyo Area Pass」，短期逗留訪問日本的外國人可以購買這種票。

您可以透過旅行社買到「周遊券」的交換券，然後在抵達日本時至各車站的「旅行中心」或「綠色窗口」劃位，免費領取關西JR PASS對號券·如未劃位或遇客滿時仍可逕自搭「自由席」(不須對號)。

關西空港、京都、新大阪、大阪各汽車站的TiS(JR西日本旅行中心)和關西空港汽車站、大阪汽車站。

但需特別注意的是交換券必須在開票日起3個月內，在日本機場或鐵路車站內之旅遊服務中心兌成「鐵路旅遊券」。

種類	票價
Kansai Area Pass 4日間用	大人￥6000
Sanyo Area Pass 8日間用	大人￥30,000

由於本書安排的行程內容，大阪、奈良、京都間的距離很近，買周遊券並沒有比較划算，反而是民營鐵路所經過的觀光景點及票價都比JR便宜，故在此不建議購買JR周遊券。

民營鐵路

在大阪市，民營鐵路非常發達，且路線相當廣，有阪神線、阪急線、京阪線、近鐵線、南海線等貫穿整個大阪市區。在這本書當中，我們會為您介紹利用阪急電鐵到箕面溫泉(行程10)的過程。

而關西比較著名的私鐵就是近鐵，其交通及費用反而有時比JR方便及便宜。筆者建議從京都→奈良、奈良→大阪的路程，利用近鐵會比較便宜。

地下鐵

大阪市的地下鐵南北向有四線，東西向二線，全程94.8公里，一般的旅客大部分都是乘坐「心齋橋」到「難波」的御堂筋線，另外還有御筋堂線、谷町線、中央線、千日前線、四ツ橋線等五線。詳細地圖請參照行程8的部份。

日本的地鐵跟現在台北的捷運系統是一樣的，可是我相信還有很多人沒有坐過捷運，而且也不知道該怎麼坐，在此說明要如何搭乘日本的地鐵，將來有機會坐捷運的時候也就不陌生了。

通常在每一個車站的售票機上方都會標示從本站至其他站的車資明細，所以您必須先找出自己要到的站名，然後看上面是多少錢。

價錢會有黑色跟紅色2排，上方的黑色數字代表的是大人所需的車資，而下方的紅色字則是代表「小人」－也就是小孩的意思。

確認好所需的票價之後，就將硬幣或紙鈔放入販賣機。舉例來說，單程車票為￥250，同行為2人，總價應為￥500，可以放入￥1,000紙鈔，機器會根據您所需要付的車資找您剩下的零錢。

如2人以上請按下人數，此種標示鈕很好認，多半都是以人形作為標示，若為2人，請按下2個人頭鈕。接著按下所需票價。

完成以上動作之後，就可以在下方的洞口取票，而在同時也掉下欲找的零錢，真是又方便又迅速的購票方式。

拿了車票之後就要開始進入驗票口了，日本的交通設施跟台灣十分類似，例如公車是司機兼收票，電車跟地鐵的入口通常只會安排1位站務員顧守，剪票的工作就交由機器來代勞。通過的方式非常簡單，您只需將您所拿到的車票放入有e指示的口就可以完成驗票的工作，之後再走到前面，將已通過驗票機退出來的車票取出就可以開始準備上車了。上車後請將票保管好，並注意不要有摺痕。下車時依剛才的步驟再將票放進驗票機，不用再將票取回，直接出驗票口。

巴士

奈良和京都的交通是以巴士為主，尤其是京都的地鐵只有2線，所以巴士更是不可或缺的交通工具，所有路線一律日幣220圓，並發售京都觀光一日乘車券￥1200，二日券為￥2000。除非您要趕著看許多點，否則要搭這麼多次車不太可能，而且京都是一個觀光都市，塞車的情況也非常嚴重，一趟巴士坐下來三十、四十分鐘很平常，所以不建議買一日觀光乘車券，最好買市營巴士1日乘車券，才￥700，也會比較划算。（不過地鐵並不適用此種票）。

在此教您如何利用日本的巴士，一般而言日本的巴士都是後門上車，前門下車付費的方式，所以搭乘公車的步驟如下：

從後門上車

● 後門入口有一個「整理券」的箱子，請抽出一張整理券。（京都為一票坐到底的方式，一趟車￥220，故不需拿整理券）

下車前請按座位旁的「降車ボタン」鈕。

● 請看前面的車資電子表確認車資多少，並準備好足夠的零錢。（京都一律￥220，不必看車資）

● 在停車以後再投錢或插入一日乘車券。如果沒有零錢時，請在投錢的箱子旁有個「兩替機」將￥500或￥1,000放入換取零錢。

各都市間交通方式

關西的交通方式四通八達，您不必擔心沒有車可以搭，而是要煩惱選擇什麼路線才是便宜又方便的交通方式。在此提供您各種路線的交通簡要，讓您在安排行程時，能夠有一個依據。

關西機場到各都市

關西機場→大阪
● JR關空特急「はるか」列車→大阪駅
1天8班，￥2,980，車程45分。
● JR快速、特快→大阪駅
1小時2班，￥1,160，車程65分。
● 南海特急「ラピート」→難波駅
1小時1班，￥1,400，車程33分。
● 利木津巴士
￥1,300，車程50分。

關西機場到奈良

●JR關空空港線→天王寺→JR大和路線→奈良，¥1,800，車程58分。
●南海特急「ラピート」→難波→近鐵奈良線→奈良，1小時1班，車程60分
●利木津巴士，1-2小時1班，¥1,800，車程95分。

關西機場到京都

●JR關空特急「はるか」列車
1小時2班、¥3,490，車程75分鐘。
●利木津巴士(8號のりば上車)
1小時2班，¥2,300，車程105分。
註：以上票價為自由席價格。

大阪到京都

　　由梅田搭JR(東海道、山陽本線)到京都只要大約44分鐘，票價¥540。

大阪到奈良

●搭JR關西本線，車程48分，票價¥720。
●搭近鐵奈良線，車程32分，¥540。

京都到奈良

●京都→奈良
搭近鐵京都線特急33分，¥1,110、急行41分，¥610。

●京都→奈良
搭JR奈良線，車程58分，車資690。

Set-1 前往大阪、京都

今 日 行 程

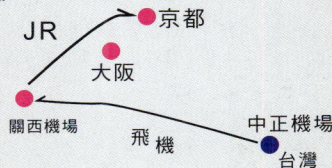

中正機場 ➡ 日本關西機場 ➡ 京都

日本

JR

京都

大阪

關西機場　飛機　中正機場

台灣

1.預定時間：5小時
2.時差：+1小時
3.費用：￥3,960
4.注意事項：出國時確認一下護照
、機票、錢帶了沒？

嗨！！我們又要出國了，這次要去的地方是京都、奈良跟大阪，也是最具有日本傳統文化氣息的地方，想要體驗日本傳統與歷史的人，請您馬上跟我們一起出發吧！

日本是個具有多樣風貌的國家，在第一本「來去東京」中，我們帶領哈日族前往心目中最嚮往的東京大都會，讓日本之旅不再是遙不可及的夢想；而在第二本「來去九州」中，我們選擇了最熱門的四大主題樂園，搭配日本另一大特色－泡湯，相信大家不但看得過癮，玩得也更過癮！

這一次，我們根據前兩本書的經驗，兼顧了傳統與現代、文化與前衛、結合宗教藝術與流行時尚，走出了這一趟更精彩的「來去大阪、京都」。現在就請您將行囊打理好，帶著愉快的心情，跟我們一起「來去大阪、京都」。

啟程小幫手

嗨，各位玩家好，我是本書作者最得力的旅遊小幫手，我和我的兄弟姊妹們，會不定時的在每一章中出現，提醒你們這趟關西之旅的注意事項。我們所提供的可都是最要緊的訊息，各位玩家們一定要牢牢記住，才能乘興而來，盡興而歸。

出發前請仔細的檢查：護照、機票、簽證、錢（信用卡、旅行支票等）都帶齊了並妥善收好。另外為防萬一遺失護照，請多帶幾張照片及身分證影印本，並將護照號碼抄在身分證影印本上。有保險證的人也要一併帶齊，其他不會用到的證件盡量不要帶，通通檢查完後就可以放心出門了。

叮嚀完畢，另一個通關小幫手已經在機場等您了，趕快照著書上的程序出關吧！

由於每個人的啟程地點不同，在此不介紹如何到機場的交通方式，直接從機場CHECK-IN開始說明。

中正機場簡介

一踏進中正機場的出境航廈，首先看到的是密密麻麻的航空公司看板，這不是作廣告之用，而是方便您從外面就可以直接找到要登機的航空公司櫃台入口處。

除了可以在機場的一樓大廳航空公司櫃台辦理登機手續之外，這裡還有保險公司、外匯銀行，必要時可在此辦理意外保險及兌換所需的外幣。不過要注意的是，除了航空公司跟保險公司會早一點開(5:30-6:00)之外，銀行的服務時間是從早上9點開始，如果您是要搭一大早的班機，一定要事先辦理好換匯的手續。

在機場的二樓設有海關檢查的櫃台，另外還有餐廳跟一些免稅商店，要買東西的人請先別衝動，裡面還有更多的商店可以讓您逛，最好先辦理通關手續！

所謂「好的開始是成功的一半」，正確無誤的快速出關，可是您旅程中的第一件大事。不熟悉海關作業的人，請您詳讀本書以下的通關步驟，

中正機場外面（1-1）

保證您會以最愉快的心情上路。

通關小幫手

無論您是菜鳥或老鳥，由於通關手續繁複，請您務必提早兩個小時到達機場辦理手續，就算臨時有緊急情況發生，也能有充裕的時間應變。

辦理登機手續

當您按照指標到了航空公司櫃台時，請先確認好自己所要搭乘的班機是在幾號櫃台，然後將護照、機票出示給航空公司檢查，同時將欲托運的行李過磅、掛牌，並辦理劃位。

目前日本線的班機大多都是全面禁煙，只有少數會詢問您是否要坐在吸煙區。另外，如果您希望坐在靠窗或靠走道的座位，也可以在劃位時一併告知櫃台人員。

至於素食者，請在訂機票或請旅行社開票的時候預先告知，不要到了上飛機前才說，以免航空公司臨時準備不及。最後，別忘了向櫃台人員領取登機證和發還的護照、簽證與機票，登機手續便算完成。

航空公司櫃台（1-2）

保險公司櫃台（1-4）

登機證（1-3）

保單（1-5）

通關小幫手

為避免行李至目的地時被他人誤提，請在CHECK-IN時跟櫃台索取名牌，並填上您的名字再繫上。

購買旅遊意外保險

行前您可向各保險公司投保意外險，除此之外，您也可以至機場的保險公司櫃台加保意外險，只要花10分鐘將您的個人資料及受益人資料填寫清楚，保險即可馬上生效。

辦理匯兌

由於目前在日本還不能直接用新台幣換日幣，所以出國前一定要先辦理匯兌。您可以在接受辦理外匯的銀行換取所需日幣，或者是到機場的銀行再換也可以。

日本利用信用卡消費已經十分普及，並不需要帶太多現金，只要確定您的信用卡可以使用，血拼族就可以「一卡走遍天下」。（這是指購物而言，各景點的門票仍以付現佔多數，至於行程所需費用請參照行程內容及額外預定花費之費用。

機場的銀行（1-6）

通關小幫手

因為目前購買的機票已包含機場稅，所以不須購買機場稅。

進入海關

完成了上述手續之後，接著上二樓進入「出境審查」口之後，您可以看見前面有一排櫃台，這就是「海關」，此時請依序排隊至櫃台前向海關人員提出護照和登機證，確認一下您的身份。

在排隊通關檢查的時候，請注意地上有一條紅色的線，指示下一位等候者不可以超越此線。要特別注意的是，有很多人會跟朋友一起出國旅行，通關的時候常會一起走至海關櫃台。在此奉勸您，還是依序站在線後，否則可能會遭到海關人員的喝止。

通關的時候，海關通常不會問什麼問題，不過為了確認您跟護照上的照片是否為同一人，海關會多看您兩眼。待查驗完畢後，請依登機門號碼的指示牌方向前往登機門。

登機門號碼指示牌（1-7）

檢查關口（1-8）

登機入口（1-9）

安全檢查

　　順著登機門牌號指示的方向進入登機門前，會先看到通關檢查的關口，目的是為了檢查您的隨身行李及身上有沒有危險物品，如果您的身上有金屬物品的話，在通過檢驗機器時就會發出嗶嗶的響聲，為避免不必要的麻煩，最好事先將鑰匙等金屬物品拿出來。

會寫有登機時刻。一般而言，當航空公司的櫃台人員將登機證交給您的候，也會特別提醒您登機口及登機刻。

　　時間一到，登機門將會開放，您可出示登機證往登機口前進。進入艙以後先找到座位，此時如有隨身李可以放在上方的擱架上，然後再下來繫好安全帶，準備起飛。

候機

　　待通過一切檢查後，即可順著登機門指示方向走至登機門處的候機室，靜候航空公司宣布登機，若時間充裕，則可在進候機室之前，先至附近的免稅商店選購物品。

登機口（1-11）

免稅商店（1-10）

登機

　　由於飛機起飛前需要一點時間準備，通常登機時刻會安排在起飛的20分鐘前，另外您在拿到登機證的時候也可以注意一下，在登機證右方

機上篇

許多人度過漫長的候機、通關的等待之後，一上飛機就像脫韁的野馬，不是興奮過度的跑來跑去，要不就大呼小叫的找人、換位子。由於飛機上空間狹小，因此平日的小問題在飛機上有可能會變成大問題；為避免造成別人的困擾，上了飛機後，請保持平和的心情，扣好安全帶靜候起飛。

現在很多航空公司為了讓旅客更愉快的消磨這段飛行時間，在座椅背後都設有先進的娛樂設備，像新航還有任天堂可以玩，因此您無須擔心不知做什麼才好。如果想要為這趟飛行留下一些紀念，航空公司也早就為您設想周到了。不過，所謂的紀念可不是任意的將機上的用品據為己有，這是不道德又觸犯法律的行為，千萬不可貿然嘗試。

索取紀念品，最簡單的就是跟空姐要一份撲克牌。如果您是男女兩人一起出國，可以在CHECK-IN時，告知櫃台您們是來蜜月旅行的，這樣在上飛機的時候，空姐就會送給您們一些航空公司製作的紀念品。當然如果不是一男一女的話，千萬別開這種蜜月旅行的玩笑。

進餐的時候空姐都會另外再詢問要不要飲料，此時千萬別客氣，可以挑貴一點的酒來喝，喝多少都不會加價。或者可以跟空姐表示您的酒量很大，請她給您一小瓶的紅酒或葡萄酒，到時整瓶帶回來送給親友，還可以說是您特地送的。不過為避免這種人太多，空姐也多半會很客氣地要代您將瓶口打開，這時要怎麼「拗」就得各憑本事了。

以上動作必要迅速，因為我們前往大阪的飛機只有2個半小時的行程而已，扣除升降前需繫緊安全帶而不能移動的40分鐘外，就沒有多少時間了，而且空姐要忙著服務機上所有乘客的餐食跟免稅品的販賣，根本就沒有太多的時間，所以最好的方法就是在拿餐的時候，順便跟空姐提出要求，這樣她就會在進食或送免稅品的過程當中，將您所要的小產品送來。

機上小幫手

搭飛機旅行於起降時常會有耳塞、耳痛的感覺，改善之道是將嘴巴盡量張大，可減少壓力；有同伴共乘，不妨相互交談，另外嚼嚼口香糖或是空姐發送的花生點心，也能達到舒緩的作用。

在飛行的途中，空姐都會提供日本入境時所需的「外國人入國記錄」表格。通常請旅行社代訂機票及簽證時，他們都會提供給您這樣的表格供您在出入境日本時使用，如果您沒有

拿到的話也沒有關係，此時就可以跟空姐索取，事先填好個人資料，等一下就可以快速地辦理通關手續。

機上小幫手

填寫表格時的注意事項
1.PASSPORT NO.
　　填寫這一項時請特別注意，99年7月以前的規定是填寫日本交流協會所簽發的簽證號碼，但是從99年的7月以後改為填上中華民國護照號碼。
2.ADDRESS IN JAPAN
　　通常填寫所居住的飯店名跟地名就行了，不需要連住址都寫上去。不過要記住如果是兩人以上同行時，填寫的飯店名一定要相同，免得遭到海關人員不必要的詢問。

外国人用（再入国）　再入国入国記録 DISEMBARKATION CARD FOR REENTRANT ②

出入国記録番号 R 6765283　区分 42

氏名（漢字）(Name) Family Name　名 Given Names
国籍 Nationality　生年月日 Day Month Year
外国人登録証番号 Number of alien registration
日本国への再入国目的 Purpose of Reentry into Japan　航空機便名・船名 Flight No./Vessel　乗機地 Port of Embarkation
署名 Signature
官用欄 Official Use Only

再入国出国記録 EMBARKATION CARD FOR REENTRANT ①

出入国記録番号 R 6765283　区分 41

氏名（漢字）(Name)　Family Name　Given Names
国籍 Nationality　生年月日 Day Month Year 男 Male
日本の連絡先 Address in Japan
旅券番号 Passport No.　職業 Occupation
外国人登録証番号 Number of alien registration　航空機便名・船名 Flight No./Vessel
渡航目的 Purpose of visit　降機地 Port of Disembarkation
主な渡航先国名 Destination　署名 Signature
官用欄 Official Use Only

外国人入國記錄表（1-12）

關西機場入境篇

　　關西國際空港是日本唯一的24小時制機場，只需30分鐘便可到達大阪市。這個日本向世界敞開新時代的空中大門，締造了許多建築工程上的偉大奇蹟，只要有機會親身經歷的人，莫不為它的壯觀而驚嘆不已。

　　1960年代末期，日本運輸省決定在關西地區興建一座新的國際機場。1985年底，計畫正式通過；次年取得建照；87年開始施工；直到1994年9月4日才落成啟用，稱得上是人類向海爭地的又一次成功。工程造價150億美金，整個機場佔地1262公頃、填土工程耗時5年、旅客疏運量可達每年2480萬人次。

　　了解關西機場的歷史故事之後，就讓我們為您說明該如何辦理入境通關手續。

由於關西機場並不像九州的福岡機場又小又容易辨認，為了盡到詳加介紹的責任，就算您不會說日文，我也要想盡辦法讓您順利通關。

一下飛機，坐上手扶梯到2樓以後，順著指示牌往前走，您可以看到有一個電車搭乘處，這是海關與登機門之間的連結工具，無論入關或出關，都要坐這列電車才能往返機場大樓跟登機門之間。由於每班電車間隔只有2分鐘的時間，所以即使您是最後下飛機，也不必擔心無車可搭。

坐上電車後約3分鐘就可到達，此時請坐手扶梯至下一層樓，接著往前直走，就可以看到海關櫃台在您的右前方了。由於日本海關是不准照相的，所以在此沒有辦法提供錄影帶及照片供您參考。

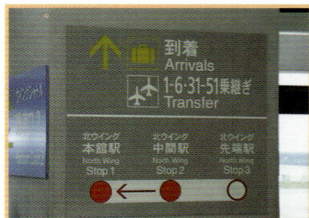
搭乘電車指示牌（1-13）

電車（1-14）

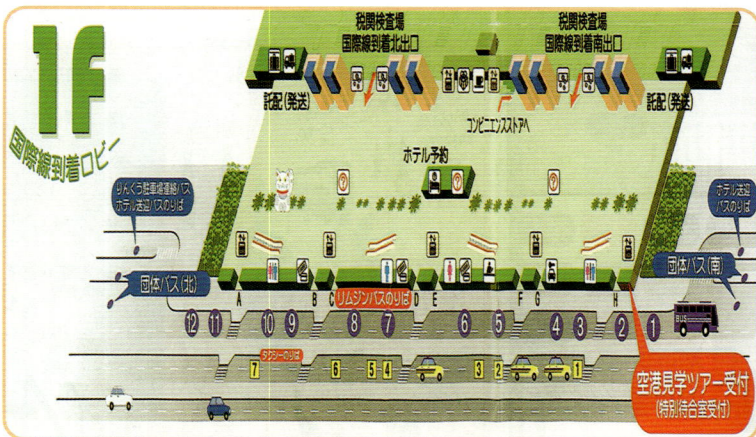
關西國際機場1樓（地圖1-1）

雖然沒有影片可以參考，不過您無須擔心，通關的方式非常簡單，您只要將在機上寫好的「外國人入境記錄表」跟護照交給海關人員查驗，就可以完成通關手續，不必太過緊張。

通關小幫手

您如果是單身女子赴日自助觀光，通常他們都會懷疑您是有某種不良目的，尤其又遇到您會講日文時，那真是有問不完的問題。像筆者第一次赴日自助旅行時，光是過關就問了15分鐘。總而言之，如果您不是要練日文的話，建議是裝聽不懂為上策，這樣便可以在短短的幾分鐘之內就完成通關手續。

出關（1-15）

提取行李

通過海關之後，往前直走會看到有一層樓梯，走下去沒多久就是提取行李的旋轉台，此時注意一下上方的標示牌是不是您所搭乘的班次，如果是的話就可以找找看您的行李是否已經出來了。

檢查行李

領完行李之後，您會看到前方檢查的關口，海關人員有時會打開您的包包，檢查一下有無攜帶違禁品之類的東西。在此給您一個建議，內衣褲之類的衣物最好不要擺在最上層，萬一打開時被看到，那就很難堪了。

通常由台灣海關出境的旅客，到日本時不會再作任何檢查，所以大多數的台灣旅客在行李檢查這關都過得很快，這點還得歸功於我們的海關形象不錯。

換零錢

兩替(RyoKai)－換零錢

　　在這裡要告訴各位一件殘酷的事實，偌大的關西機場竟然沒有換零鈔的兌幣機！所以在出國之前，跟銀行換兌的時候務必要拿些千元日幣，因為機場內的銀行並不接受兌換零鈔的要求。

　　如果真的沒有辦法在台灣換到千元大鈔，在此給您一個建議：在台灣先換一百元美金，因為機場的銀行可以接受美金換日元的要求。

　　在接下來的日子您會發現，沒有一千元的日幣將寸步難行。例如此刻，我們若要搭JR或南海電車、利木津至飯店的話，就沒有辦法利用購票機買車票，因為大部份的購票機都只能接受一千元的日幣而已。

　　另外，如果您的現金準備不夠的話，可以到キャッシュサービス(Cash Service)利用信用卡或利用可直接再國外提領外幣的提款卡提領現金。詳細辦法請參照各信用卡國現金提領使用方法。

關西機場>>>京都飯店

🏃 70分鐘　　¥ 2,960

　　從機場至飯店的交通方式有很種，而我們選擇的是搭乘JR至京車站，至於其他的交通方式，會在面做一個簡單的說明。

　　不管您是從1樓海關的南口或北出來，請您往中間方向直走，您就以看到購買JR車票的售票機了。果您真的找不到售票機的話，上2去車站外面買也可以。搭乘JR か(HaRuKa)會經由新大阪站再抵京都，票價是¥2,960。

機場銀行（1-16）

信用卡提款機（1-17）

請特別注意這是自由席的價錢，所謂「自由席」是指沒有預訂座位的意思，所以您上車的時候，一定要上「自由席」的車廂，而不是「指定席」的車廂，不管有沒有人坐，當車長來查票的時候，若發現您持自由席的票卻坐在指定席，他一定會趕您回原位的。

買完票之後，請注意看左方有一個往2樓的手扶梯，根據方向牌的指示，我們得知搭乘JR必須到2樓的JR車站去搭車，走上2樓之後往右走出大門，您就可以看到前面有大大的「JR關西空港 駅」字樣。

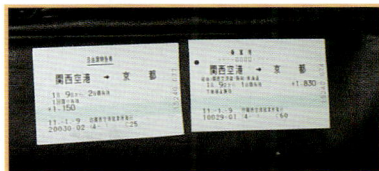
車票（1-19）

各種交通工具指示牌（1-20）

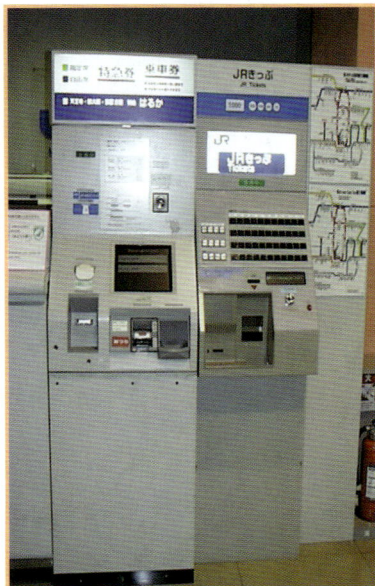
JR售票機（1-18）

JR關西空港車站（1-21）

走進車站，我們可以看到剪票口在右手方，坐過捷運或者曾到國外搭過地鐵的人，大概都知道該如何通過這種自動剪票口，方法很簡單，只要將您的車票順著箭頭指示放進剪票口後，待出來時再將車票收回就可以了。要特別注意的是，您購買ＪＲ車票的時候，應該會拿到２張，一張是乘車券；另一張是自由席的車票，您只要將乘車券放入剪票口就行了。

自由席指示牌（1-23）

JR入口（1-22）

JR電車（1-24）

走進車站之後，我們必須坐手扶梯至下一層樓搭車，寫到這裡讀者一定會覺得很奇怪，剛剛從機場１樓上到２樓車站，怎麼進了車站還要下到１樓搭車呢？因為機場跟ＪＲ車站是不同的大樓，所以必須上上下下的。如果您這樣都會覺得很煩的話，那麼一旦到了大阪，您一定會叫苦連天，因為大阪的地鐵簡直可用迷宮來形容。話又說回來，既然是出國旅遊，本來就是要體驗各種不同的生活方式，所以對於這麼一點小小的不便，您就別太在意了。

關西機場到各大城市（地圖1-2）

務必記得：如果您是透過購票機買的車票，一定是屬於自由席的車票，上車時記得要找有「自由席」字樣的車廂，坐上車之後，大約2個小時的車程就可以到達京都車站。

京都小幫手

其他交通方式

リムジン － 利木津

從機場的一樓大廳走出去就是至關西各大都市的巴士搭乘站牌了，從關空搭至京都需花費￥2,300，車程約105分鐘。

由於京都站是這班列車的最後一站，所以您不用怕會坐過頭。下車後，請順著車頭方向往前直走約5分鐘，就可以看到出口在左手方。走出剪票口搭上左前方的手扶梯坐到2樓，再往前直走可以看到伊勢丹百貨公司，請往左轉，也就是「烏丸中央口」的方向直走到底後，會看到一個「八条西口」的出口指示牌，右轉下樓，在您左前方的白色建築物就是我們今天晚上要住的飯店－「新・都ホテ

ル」。請繼續沿著騎樓走，您會看到頭頂上有一個近鐵電車的牌子，直到看到斑馬線後，注意在您身旁的紅綠燈的柱子上，有一個紅色按鈕，要通過斑馬線須先按下紅鈕，待會兒綠燈才會亮。

出口指示牌（1-25）

烏丸中央口指示牌（1-26）

八条西口的指示牌（1-27）

INN 新・都ホテル (MiYaKo- Hotel)

　我們所居住的這個飯店是屬於「近鐵觀光」集團的飯店，共有714間客房、8間餐廳及宴會場所，是相當高級的飯店，就位於近鐵京都站的斜對面而已。

　由於我們是請旅行社先代訂房間，所以CHECK-IN 時需拿出旅行社給我們的「飯店住宿券」給櫃台人員，飯店人員即會拿出住房登記表格讓我們填寫。

新都飯店（1-29）

飯店房間（1-28）

飯店住宿券（1-30）

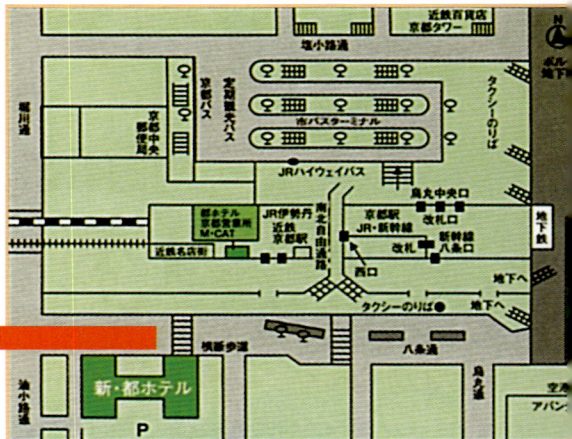

飯店周邊道路（地圖1-3）

在填寫住房卡的時候，上面有一欄是填寫PASSPORT NO(護照號碼)，有時櫃台人員會要求填寫，有的則不會，為了避免再溝通的問題，建議您先將護照資料填寫好。辦完住房登記之後，通常櫃台人員會給您下列3項物品，請務必要確認一下。

(1)房間鑰匙－新‧都飯店的鑰匙是磁卡。

(2)住房卡－這是提供您外出時回來出示櫃台，以便取回房間鑰匙的證明。也就是您在CHECK-IN的時候填的卡片。

(3)早餐券－如透過台灣旅行社訂房，通常都會為您加訂早餐，如果您沒有需要，必須先告知旅行社。除非您決定不吃早餐，不然建議您不要省這筆錢，因為到外面去吃不比預訂早餐便宜多少。

早餐券（1-31）

CHECK-IN小幫手

　　日本的服務之周到世界有名，當您跟櫃台辦理CHECK-IN時，服務人員會不厭其煩的向您報告許多注意事項，以及飯店主要設施的路線。對於不懂日文的人來說，這真是一場「甜蜜的折磨」，因為難得受到如此禮遇，不免想過一下貴賓的癮，但服務人員說什麼全都有聽沒有懂，心裡恐怕會緊張萬分，因而失去了享受貴賓級禮遇的樂趣。其實您不用害怕，通常服務人員說的事項，我們在書中都會提到，您只要大大方方地猛點頭，再不時一聲「嗨！」（日文「是」的意思），就可以順利的辦完手續了。

晚餐

🕐 步行40分鐘　　¥ 1,000

　　如果您搭乘的是早上的班機的話，到飯店時差不多也是準備吃晚餐的時間了。由於此次安排的飯店就在京都車站的旁邊而已，所以建議您從飯店大門出去以後，先走回剛剛經過的近鐵京都站裡面，在這裡面有美食街，您可以選擇自己想要吃的餐食。我們在這裡找到一家ハマムララーメン的拉麵店，這裡的拉麵是用大骨熬成的湯汁，味道非常香濃好吃。

　　如果您的班機是安排下午去的話，相信至飯店時已是7、8點之後的事了，由於日本的商店都很早關，晚班機的人要事先吃完晚餐，以免到時候挨餓。另外，建議您在CHECK-IN的時候，順便在樓下的大廳找一找飯店的簡介手冊，這樣就可以明白飯店附近的觀光點有哪些，也有助於您明日一大早的行程。

晚餐（1-33）

拉麵店面（1-32）

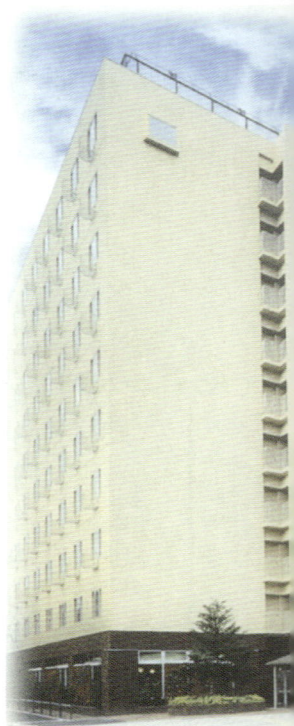

国際会館
国立京都国際会館
宝ケ池

賀茂川

北山

北山通

松ケ崎

至鞍馬・八瀬

詩仙堂

高野川

北大路

北大路通

金閣寺卍

鞍馬口

川端通

白川通

北野天満宮

今出川通

出町柳

卍銀閣寺

西大路通

千本通

堀川通

烏丸通

京都御苑

河原町通

東大路通

大

丸太町通

JR嵯峨野線

二条城

地下鉄烏丸線

京阪鴨東線

平安神宮

美術館

卍永観堂

卍南禅寺

至亀岡

京福電鉄嵐山線

三条通

河原町

四条

三条京阪

けあげ

卍金地院

都ホテル

至嵐山

阪急京都線

四条大宮

四条通

卍知恩院

地下鉄東西線

五条通

大宮通

八坂神社

卍高台寺

京阪京津線

至大津

至大阪・神戸

七条通

西本願寺卍

東本願寺卍

鴨川

国立博物館

卍清水寺

至東京

京都駅

卍三十三間堂

JR東海道本線

至大阪・神戸

八条通

東寺卍

近鉄京都線
至奈良・伊勢

新・都ホテル

卍泉涌寺

JR新幹線

至東京

九条通

卍東福寺

十条通

伏見稲荷大社

国道一号線

京阪電車

桂川

名神高速道路

京都南I.C.

竹田

至宇治

JR奈良線

卍城南宮

伏見桃山城

京都府総合見本市会館

丹波橋

N

Set-2

京都之旅

今 日 行 程

新都飯店 ➡ 銀閣寺 ➡ 南禪寺 ➡
平安神宮 ➡ 京都車站（夜景）

1. 預定時間：7小時
2. 費用：¥4755
3. 注意事項：記得購買優惠乘車券

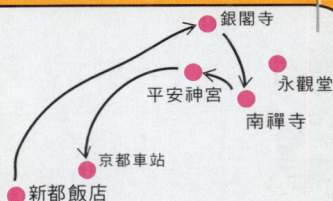

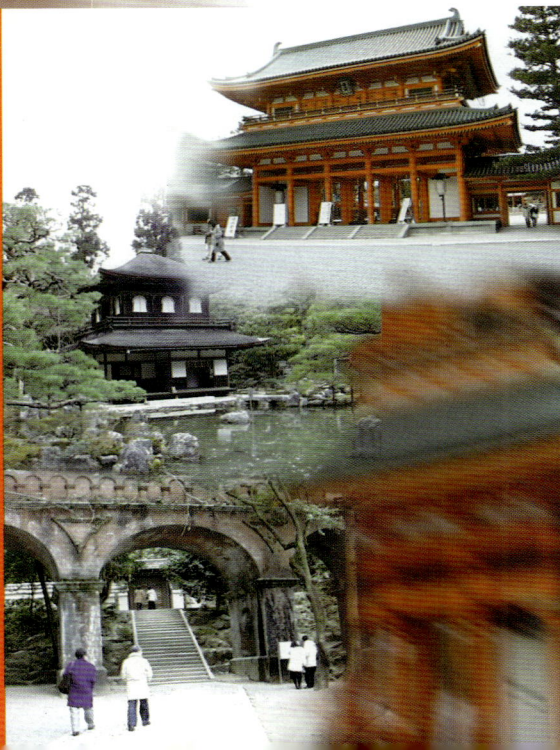

銀閣寺
平安神宮　　永觀堂
南禪寺
京都車站
新都飯店

京都之旅

　　如果把東京比做活潑朝氣的年輕小夥子，那麼京都就是一個慈祥和藹、渾身散發著雍容氣質的貴婦人。她在日本的地位足可稱之為「國寶級」，靜態的京都以千年以上的古蹟寺廟，緩緩向世人宣告她悠久的歷史地位；動態的京都用藝妓、廟會、祭典的萬千風貌，展示她傲視群倫的文化背景。

　　清晨、黃昏、細雨的京都，是此地三個最美的時段，無論是在哲學之道上漫步，或在清水寺中冥想，京都的美將會慢慢浸潤您的心。久而久之，您會發現，不知何時起，您再也無法離開這古意盎然之都。這就是京都的魅力，也因此，許多人一旦接觸京都後，便決定再也不離開了。

　　為了要慢慢欣賞京都，我們特地規劃了五天的行程，讓您有充裕的時間造訪京都最有名的景點。今天起個大早，享用過豐盛的早餐後，請您帶著一顆最虔敬的心，與我們一同融入京都的歷史與文化。

　　另外，除了欣賞日本的古蹟，各式傳統的祭典更是不可錯過，尤其是祇園祭、葵祭、時代祭等，被稱為京都的三大祭火活動。在此我們提供幾個具代表性的祭典，您可以在排行程時，先將此一盛事考慮在內。難得出門一趟，千萬不要只是看看建築物而已，否則可是會錯過京都最精彩的風貌。

日期	祭典
5月15日	「葵祭」，是自平安時期便有的祭典，為京都三大祭典之一。遊行隊伍穿著平安時期的服裝，從京都御所遊行至上賀茂神社。
7月7日	「七夕」，日本與中國一樣有慶祝七夕的傳統。最壯觀的盛會是在北野天滿宮舉行。
7月17日	「祇園祭」，三大祭之一，約1100年前開始，以擊退疾病目的為起源(7月1日～29日)。
8月16日	「大文字五山送火」，送好兄弟回地府儀式，會在山邊放「大文字」的火把。
10月下旬	「時代祭」，是三大祭典之一。遊行者穿著不同朝代的服裝，從京都御所遊行到平安神宮。

早餐

🕐 40分鐘　¥ 0

　　由於我們在行程的預定當中,是假設您預訂飯店的時候會附帶早餐,所以在各行程的安排上並不會將早餐的費用包括在內。且由於各飯店的早餐用法稍有不同,所以我們會在每3個行程當中稍微告知一下各種情況。

　　我們所住的新・都ホテル算是蠻高級的飯店,所以早餐是屬於點餐的方式。餐點價位分為¥1,200、¥1,500、¥1,800三種。不管您請旅行社代訂的是哪種價位的早餐,每一個項目都會有數種選擇,因此在用餐之前,服務人員都會要求您點選自己喜愛的食物,在此稍微為您介紹一下。

1.主餐:蛋－炒蛋(フライエッグ)、煎蛋、水煮蛋;麵包－黑麥麵包、牛角麵包、土司。

2.飲料 (飲み物 -NoMiMoNo):柳橙汁(オレージジュース-)、咖啡(コーヒ-)、紅茶、牛奶(ミルク)。

3.沙拉 (不必另點)。

註:( )部份為日文。

京都小幫手

　　請各位讀者在出發前,根據行程所需,購買合算的乘車券。

早餐(2-1)

　　在介紹行程之前,先跟各位說明一下,京都市的主要交通工具以巴士為主,任何路線一律¥220坐到底,另外還提供各種觀光用的特惠乘車券,在您開始欣賞京都的古典之前,請先看看筆者為您特別準備的交通資訊,您可以根據自己的行程所需,購買優惠實用的乘車券。

◎京都觀光一日乘車券¥1200;京都觀光二日乘車券¥2000。

　　適用於京都巴士(紅色)、市營巴士(綠色)、市營地下鐵。只需要在下車的時候,讓司機看一下票就行了。在有效日期之內可無限次使用。

◎市バス 專用1日乘車券カード¥700 。

　　只限用於市營巴士(綠色)、チンチン巴士(咖啡色),在使用當天可無限次使用。

◎日間折價回數券 ¥1,000 (¥110券13張)/¥2,000(¥220券13張)

市バス専用
一日乗車券カード

均一運賃区間内有効

一日何回でもご乗車いただけます

均一区間内
（円内）

発売額
700円

京都市交通局

市內巴士專用一日乘車卷券（2-2）

京都観光
Kyoto Sightseeing
二日乗車券
Two Days Pass

Valid for two days
有効日

■運賃（大人）2,000円・(小児) 1,000円

11. 1-10 ~ 11
年　　月　　日　　年　　月　　日

ご提示ください
この乗車券をバスの運転手、地下鉄の駅係員にご提示ください。
Show this pass date to the bus driver or the ticket teller at the subway ticket gates.

P 016343

市バス・市営地下鉄・京都バス 共通
Good on city buses, Kyoto buses and subways.

觀光二日乘車券（2-3）

新・都飯店 > 銀閣寺

🕐 45分鐘　🚌 巴士　¥ 220

　　吃過早餐之後，從飯店大門出來，右轉走到第一個紅綠燈後過馬路，就會走回 八条西口 的入口。上了2樓之後就是京都車站的2樓，請直走到底，再右轉下手扶梯，往右側就可以走出京都車站的大門。

　　在本書中為您安排京都的觀光景點很多，若購買優惠乘車券會比較划算。購買處在走出京都車站後，看到右方有一棟銀灰色房子「BUS TICKET CENTER」，您即可在此購買您所需要的優惠乘車券。

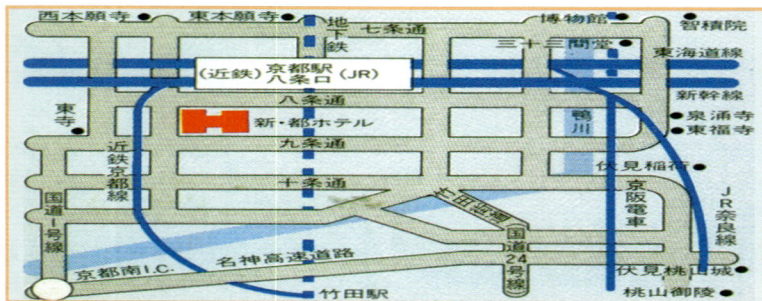

從飯店到京都車站的簡圖（地圖2-1）

八条西口的入口（2-4）

銀閣寺道站（2-6）

Bus Ticket Center（2-5）

銀閣寺（KinKakuJi）

2小時 ￥500

　　到銀閣寺的巴士需要搭乘(5)或(17)號巴士，而很多京都巴士的發車或終點站都在京都車站，所以這裡有很多巴士站牌，要耐心找一下。我們上了(17)號巴士之後，約搭25分鐘的車程就可以到達「銀閣寺道」站。

　　下車後順著車行方向往前走，遇到一個很大的十字路口，過馬路之後，您就可以在路旁看到「哲學之道」的路牌，順著這條路繼續直走約10分鐘左右，會經過一段上坡路，沿途有很多商店可以購買藝品。到達路底時您就可以看到銀閣寺的入口。

　　京都有許多歷史悠久的寺院神社和景色秀麗的日本式庭園，這些都是京都主要的名勝古蹟。除了兩座堂皇的離宮之外，還有四百個左右的神道神社和一千六百多個佛教寺院，散處於一千兩百年前即規劃完善的棋盤式街道之間。這些古蹟有的歷史特別悠久，有的富於建築之美，有的珍藏藝術寶物，價值連城，銀閣寺便是其中值得一遊的名勝之一。

　　進去銀閣寺入口以後，您可以看見售票口在寺門的左側，門票一張是￥500。購票時您只要用手指比出您想要的張數即可。會說日文的讀者，在此教您如何購票：「一枚を下さい」(IjiMai-Wo-KuDaSai)。2張跟3張分別是(NiMai)、(SanMai)。售票員會給您一張白色的安家符，不要懷疑！這就是門票。請拿這張符給檢驗門票的人員，他會撕下底聯再還您。

走進庭園，立刻就感到一種古都的沈靜之美，銀閣寺觀音殿前方的庭園充滿了禪意，地面以白石鋪成，形成了日本庭園造景最著名的枯山水園，伴隨著一池迴遊清泉。

哲學之道（2-10）

上坡路（2-7）

銀閣寺的入口（2-11）

售票口（2-8）

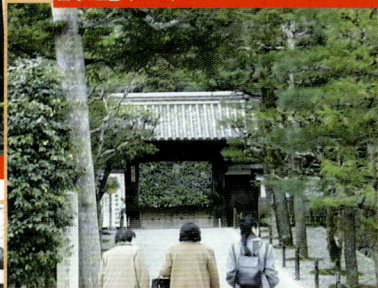
門票（2-9）

銀閣寺建於西元1489年，是足利義滿的孫子足利義政仿效祖父當時在北山所建之金閣寺，銀閣(觀音殿)外表看來黑黑的毫不起眼，上層為潮音閣，安置觀音像，下層則為心空殿，安置千體地藏，深厚的文化與歷史背景造就了它的盛名。此外庭園裡還有東求堂，是日本現存最古的書院，裡面安置了阿彌陀如來像，整個庭園相當恬適靜謐，可算是日本室町時代東山文化的代表性建築。

其實銀閣寺只是俗名而已，它的正式名稱應該是「東山慈照寺」，也是足利義政的法號。據說義政原想將銀箔貼滿整個銀閣寺，但在他歸西時尚未能如願，後來由夢窗國師開山，依

照義政的遺言完成他生前的願望。

開放時間：09：00 - 16：00。

銀閣寺（2-12）

白沙灘（2-13）

京都小幫手

　　禪宗在日本的影響無遠弗屆，連庭園設計中都包含了無限禪機。「枯山水」這獨特的日本庭園文化，正象徵禪宗「不可說」的境界。日本人認為，以平常心沈浸於枯山水中，代表著沈思與打坐。因此當您看到一堆日本人靜坐於枯山水旁時，不妨也靜下心來，一同領略獨特的枯山水意境。

午餐

30分鐘　　￥ 700

　　我們建議您在銀閣寺道上的餐廳用午餐。這裡有很多家麵食店，價位平實，像我們用餐的「一休」，咖哩飯才￥700。咖哩飯日文說法是カレーライス(KaRe-RaiSu)。

餐廳（2-14）

銀閣寺 > 南禪寺

🕐 25分鐘　　🚌 巴士　　¥ 220

　　從銀閣寺到南禪寺的走法有2種，如果您的時間跟體力都很充裕，建議您走「哲學之道」到南禪寺，也就是從寺門出來後往左直走約1小時，就可以到達南禪寺。這也是為什麼我們要將午餐安排在銀閣寺，這樣才會有充沛的體力來好好享受這一段哲學之旅。

　　另一種走法當然就是比較省時省力的，從銀閣寺出來之後，直走到底到紅綠燈路口時，不要過馬路，請左轉走約2分鐘左右就可以看到巴士站牌，搭(5)號巴士經5站後在「永觀堂站」下車。

　　下車之後會看到路口有一個「永觀

寺門左側的路（2-16）

堂」的石刻，請在此路口左轉直走到路底時，就會看見「總本山永觀堂禪林寺」。永觀堂是平安時代初期空海的弟子真紹所建立的寺院，據說以前有位永觀師父在念佛的時候，佛祖曾經從殿堂上走下來，故改稱為「永觀堂」。有興趣的人可以順道看一下。走到永觀堂之後，請右轉直走約15分鐘，到路底時便是南禪寺的入口。

永觀堂站（2-15）

石刻（2-17）

南禪寺

🕐 1小時　¥ 600

　　南禪寺是京都佛寺五大名山的第一山，建於文永元年（西元1264年），是當年龜山天皇所建的離宮之一，也是當時臨濟宗南禪寺派的總寺院。天皇當時把這座離宮造成佛寺，原因是由大明國師開山，而龜山天皇皈依大明國師，成為法皇，所以在1291年正式將離宮改為寺廟，因位於禪林寺的南方，所以稱「南禪寺」，全名為「太平興國南禪禪寺」。南禪寺裡有一絕景「石了五衛門」，宏偉無比，山門本身的架構為二層式，可在上方眺望京都全景，它同時也是京都三大門之一。本堂的雕刻以虎形為主，栩栩如生，寺的東南方有一座禪式庭園－「虎子之渡」，內有水頁庭台及「水路閣」。

開放時間：08：30 - 17：00。
門票：本堂方丈￥350，山門￥250。

南禪寺（2-191）

永觀堂（2-18）

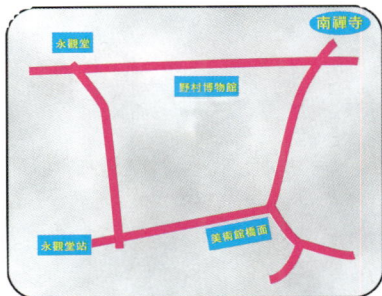

車站至南禪寺路線圖（地圖2-2）

南禪寺 > 平安神宮

🕐 15分鐘　🚌 巴士　¥ 220

　　參觀完南禪寺之後，我們從正門走出來，需走約5分鐘的路程，到橋頭時右轉，再走約5分鐘後就可以回到剛剛下車的「永觀堂站」，一樣搭（5）號巴士坐到「京都會館美術館前」站下車。

　　下車往後看，馬上就可以看到一個很大的橘紅色「鳥居」，這時忍不住又想要引用一句與朋友間常說的話：「凡有鳥居必有神社」，在之後的行程參觀時，您一定也會有相同的感受。往鳥居的方向前進沒多久，過馬路後就是平安神宮了。

5號巴士（2-20）

南禅寺

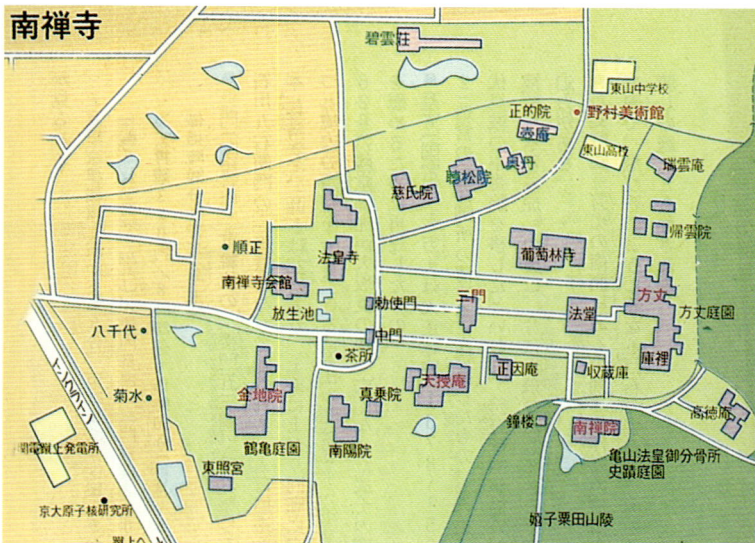

南禪寺平面圖（地圖2-3）

平安神宮

🕐 1小時　¥ 500

　　來到京都如果沒有來看「平安神宮」，如同沒有來過一樣。進入裡面，令人不由得為神社的宏偉所感動。西元784年，日本桓武天皇將首都從奈良遷到質岡，隔年又遷到京都，當年的國號為「平安」，所以京都也有「平安都」之稱。而「平安神宮」在明治28年(西元1895年)建造，便是為了紀念平安朝遷都1100年。裡面供奉著桓武天皇與孝明天皇，神社外觀是以平安皇宮的樣式縮小二分之一而造，內部隔局完全是仿效當時平安皇宮內的裝潢。宮內可見的有日式花園、小池及中國式的小橋，環境相當古典。

開放時間：平常08：30～17：30，9月～11月8：30～17：00，11月～2月08：30 ～16：30。

　　神宮內的大和殿及走廊兩端的蒼龍樓、白虎樓，壯麗之美，彷若往日的平安京又再度重現。環繞社殿、廣達3萬平方公尺的神苑是小川治兵衛所建成之迴遊式庭園，園內不僅以花昌浦聞名，紅枝垂櫻的美景亦是特色之一。

橘紅色的鳥居（2-21）

路口（2-22）

平安神宮（2-23）

平安神宮＞京都（車站）

🕐 40分鐘　🚌 巴士　￥ 220

　　觀賞完神宮的美麗之後，我們必須
先走回剛剛下車的地方，然後搭乘
(5)號或(100)號巴士坐回京都車站，
車程約40分鐘。一天的行程走下
來，想必也累了，可以在車上睡一
下，反正京都車站是最後一站。

巴士站（2-24）

晚餐

🕐 40分鐘　￥ 1575

　　下車以後，我們決定先去吃晚餐，
免得等一下肚子餓沒精神看夜景。在
此建議您到京都車站的二樓，也就是
我們要回飯店時往 八條西口 的路途當
中，在下手扶梯之前，可以看到隔壁有
一間「AMON CAFE SHOP」，在此
建議您點用「AMON洋食便當」，餐費
是￥1,500，再加5％稅金一共是￥
1,575。

AMON洋食便當（2-25）

AMON Cafe' Shop（2-26）

京都車站(KyoToEKi)

在帶各位到京都車站看夜景之前，先大致介紹一下京都車站的由來。此車站結合了五大特點：交通、停車場、文化、飯店、百貨公司等各項精彩的設施，於西元1998年建設完成。車站內有一高11層的手扶梯，可直接通往百貨公司商場及任天堂科技遊樂中心，更有空中走廊及自然採光的中庭咖啡座，是很多元化的建築，自從建立之後即成為京都地區居民最主要的新興休閒去處。

我們要帶您來看的地方是京都車站的空中走廊，到空中走廊的方式有很多種，您可以在吃完飯的時候，從2樓的百貨公司直接坐電梯到頂樓，走出電梯之後沒多久，就可以看到右方有一個空中徑路的入口。

空中走廊是建築物的兩側間經由一條「空中徑路」相連結，這條走道的兩側熱鬧非凡，似乎京都不想睡覺的人都聚集在此了，您也可以看到許多愛侶在此互訴衷情，蜜月旅行想要自助的人，可別忘了安排這一個景點。

開放時間：車站06:00~23:00
空中徑路10:00~22:00

空中徑路入口（2-28）

京都車站 > 新‧都飯店

🕐 步行10分鐘

您可以根據個人的體能狀況而決定回飯店休息的時間，不過在此建議您好好地欣賞一下京都車站內的建築，據說它曾得過設計大獎，但是當初決定重建的時候，曾遭受當地居民的反對，原因是京都車站的超現代化建築風格跟整個京都市所呈現出來的古典之美截然不同，京都市民反對的理由是破壞自然，而如今這裡卻成為年輕人的最愛。

看完夜景之後，請走回京都車站的一樓，再順著昨天走到　　的路程走回飯店，我們就此完成了　　天的行程，請回飯店好好休息一下吧!!明天還有更好看的景點在等著您呢！

空中徑路指示牌（2-27）

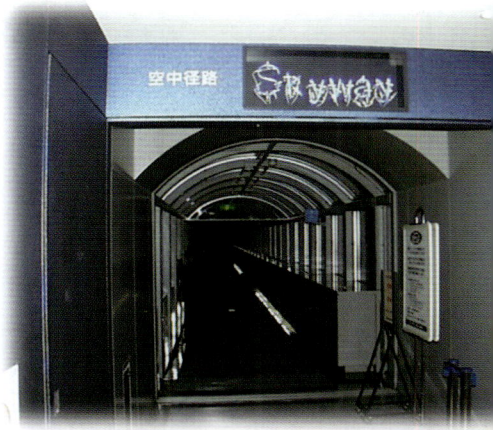

京都之旅

新都飯店 ➡ 二条城 ➡ 北野天滿宮 ➡
西陣織會館 ➡ 京都御所

西陣織會館　　　　　北野天滿宮　　　京都御所

二条城

京都駅

新・都ホテル

1.預定時間：10小時
2.費用：￥3370
3.注意事項：非春秋到京都御所參
觀前要先書面申請

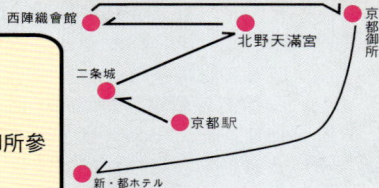

🕐 20分鐘　🚍 巴士或地鐵　¥ 230

在這次的關西之旅中，京都部份的交通是以公車為主，偶爾搭配地鐵；大阪則是以地鐵為主。對不懂日文的人來說，可能會對坐公車產生心裡障礙，不過您大可放心，一來京都的觀光巴士早就為觀光客設計了簡便的搭車方式，二來在附錄的交通介紹也會詳細解說搭乘巴士的方法。

筆者停留京都的期間，是先買一張京都觀光二日乘車券，因為我們要跑多個景點，而且會用到地鐵，買這種優惠券比較划算；而如果您一天只要去兩三個地方，有兩種方法供您參考，一個是多準備些零錢，直接在車上投錢；另一個是購買「市巴士專用一日乘車券」（¥700），這種一日乘車券方便之處在於您第一次搭乘時，下車前送進驗票機驗票後才會印上日期。所以若您剛好不是住在京都車站附近，為免專程跑到車站來買一日乘車券，您可以在第一天到了京都車站後，在「BUS TICKET CENTER」先買個2-3張放著使用。

從飯店到京都車站前的巴士站牌走法，請參照行程2的部份。從京都車站到二条城前須搭巴士(9)(50)，在「二条城　前」站下車，一下車就可以看到二条城了。

為了考慮到有些人比較喜歡搭乘地鐵，我們介紹一下該如何利用京都市的地下鐵。在京都車站大門的左右方附近，各有一個地下鐵入口，外觀類似地下道，從任何一個入口下去都可以到達地鐵站。

如果您是從京都車站大門的左方下去的話，請往右順著「地下鐵」指示牌方向直走，沒多久就可以看到售票機跟剪票口了，大約只需要5分鐘的路程。然後到左方的售票機購買到「二条城　站」的車票，車資是¥230。

地鐵入口（3-1）

售票機（3-2）

通過剪票口之後，左轉下去往「國際會館」方向的月台搭車，坐3站到「烏丸御池站(KaRaSuMaOIKe)」下車，上樓後左轉再下樓，換乘地鐵至「二条城」站。

下車以後依指示牌從1號出口出去，一上2樓出口就可以看到 二条城的建築物。

電車（3-6），指示牌（3-7）

剪票口（3-3），月台（3-4）

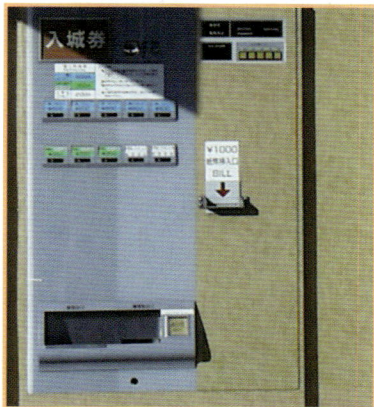

烏丸御池站（3-5）

售票機（3-8）

二条城

🕐 2小時　¥ 600

二条城 的售票口在正門的右邊，可以利用購票機或者是直接跟窗口購票，門票是￥600。

世界文化遺產登錄　　元離宮二条城　金600円

門票（3-9）

二条城　是西元1603年由德川家康建立的，本來只是一座以二丸殿為中心的小城，作為他在京都的離宮(也就是別館的意思)，後來又由三代將軍德川家光擴建而成，但不幸的是有些地方被燒毀了。

現在的 二條城　四周由東西長約500公尺、南北寬約400公尺的小圍牆環繞，正門稱作為「東大手門」。城內的二ノ丸御殿有黑、白書院、大廣間、遠侍等，共有3,300平方公尺，房間數有33間之多。進去的時候要先換穿脫鞋才能入內參觀，裡面是不准攝影的。在入口處附有日文及英文的手冊供觀光客免費索取，您可以自行進去參觀以前的城堡內部結構，裡面有桃山時代偉大的繪圖。

另外，據說現在的本丸御殿還是將京都御所內的舊桂宮御殿移建而來的，外有濠溝環繞。

開放時間：08：00 - 16：00，全年開放。

本丸御殿（3-10）

二ノ丸御殿（3-11）

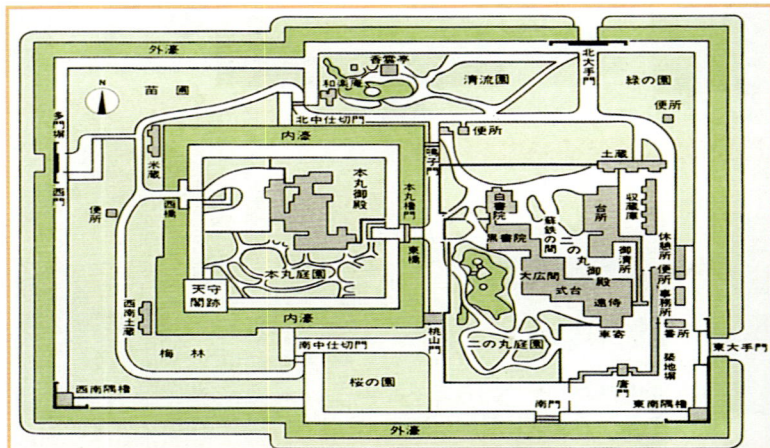

★二条城內部圖（3-12）

二条城＞北野天滿宮

🕐 20分鐘　🚌 巴士　¥ 220

走出二条城 之後，請往城門的左方走，找到一個公車站牌，搭(50)(101) 巴士在「北野天滿宮」站下車，車程約需15分鐘。

下車之後，請往回走到紅綠燈口，您就可以看到，在馬路的對面有一個白色的鳥居，上面寫著「天滿宮」。

📷 北野天滿宮

🕐 1小時　¥ 0

在「來去九州」這本書當中，也曾經介紹過天滿宮這個地方，常來日本的人都會發現，不管到哪裡都會有相同的地名一再出現，其實就如同我們台灣一樣，在每個縣市一定都會有中正路、中山路。

公車站牌（3-13）

鳥居（3-15）

公車（3-14）

走進鳥居，在神社門口看到好幾隻石牛跟銅牛，有很多人都在爭相撫摸銅牛的身體，據說摸頭可以使頭腦聰明一點，摸腳可以讓腳健康一點，總之想要哪裡強健，就多摸那裡一點!!像筆者就乾脆全身都抱。

天滿宮祭祀的神明是「菅原道真」，就好像我們的孔廟一樣，到此祭拜的通常都是以祈求學業能夠順利，所以您一進來可以看到很多祈求學業進步、考試順利的神符。在入口

的左側設有一窗口，可以登記請神官代為祈求考試順利。由於日本的考季是2-3月，所以您大概在12-3月間最常有機會看見神官祈福的樣子。如果您也要考試的話，不妨也祈求日本的神保祐一下吧!!別忘了要付錢哦！

午餐

時間：40分鐘　¥ 650

看過日本的孔廟以後，建議您在這裡吃個午餐。在此推薦您一家拉麵店，就在走出鳥居後右轉，走旁邊的小路約2分鐘，就可以看到一家「田舍亭」，您可在此點一個紅梅そば，這是這裡的招牌麵，這種拉麵湯頭比較不會那麼濁，不喜歡喝大骨湯汁的人可以試試看。

石牛（3-16）

北野天滿宮內部（3-17）

田舍亭（3-18）

祈福登記處（3-19）

北野天滿宮＞西陣織會館

🕐 10分鐘　🚌 巴士　¥ 220

　　吃完拉麵，走出正門就是巴士站了。我們須在此搭(203)號巴士坐到「堀川今出川」站，車程約需5分鐘。

　　下車以後，往回走到第一個紅綠燈口，就可以在您的左前方看到一幢黑色建築物，寫著「西陣織會館」的金色字樣。所以您只要穿越十字路口，再走到黑色建築物就可以了。

巴士站（3-20）

西陣織會館

🕐 1小時　¥ 360

　　想要看日本傳統的和服藝術，到西陣織會館就沒錯了，雖然這裡是專供觀光客參觀購物的地方，但也是唯一可以欣賞到從前貴族及上流社會使用之高級織物的場所，這些織物至今仍被視為京都手工藝的極致表現。

　　會館的一樓是介紹西陣織的製作過程，在展示台每天大概會有8-10次、15分鐘左右的和服表演，但是需要花¥360的觀賞費。

　　2樓則是販賣部，喜愛西陣織的人可以在此買些紀念品，建議您購買一些領帶跟小錢包，價格實惠又有特色。每年的11月11日是「西陣の日」，會定期舉行記念典禮。

　　另外，如果您捨得花錢的話，西陣織會館還提供您三種不同的體驗，但需要事先預約，不過觀光客也可以直接在1F受付(櫃台)詢問看看，只要不是旺季期間多半會接受您的申請。

西陣織會館（3-21）

西陣織的製作（3-22）

藝妓體驗（3-23）

日文名稱	內容	所需時間,費用
手織り體驗	讓您親身體驗如何織布，有專人指導，完成的作品可帶回作記念。	1小時 ￥1,800
舞妓・藝妓・十二單衣體驗	就是把您打扮得像藝妓一樣，如果想要打扮成日本新娘的話，價錢會很貴，要￥40,000。	80分 ￥8,800
きもの體驗	就是可租用和服在市內觀光，但是由於只可租用和服的部份，像襪袋等用品需自備。故此項對於觀光客而言並不方便。	￥3,000

西陣織會館 ＞ 京都御所

🕐 20分鐘　🚌 巴士　￥ 220

府立醫大病院前站（3-24）

　　順原路走回剛剛下車的站牌，並在此搭(59)號巴士，然後在「府立醫大病院前」站下車，車程約需15分鐘。

　　下車以後，往前走沒多久就可以看到一個十字路口，請右轉過馬路，您應該可以在旁邊的路口看見「京都御所」的指示牌，直走約5分鐘到底就是京都御所的入口處。

指示牌（3-25）

京都御所

🕐 3小時　　¥ 0

京都御苑環繞著京都、仙洞、大宮三大御所，成為洛中地區最大的公園。東西由烏丸大道到寺町大道，南北則從今出川大道到丸太町大道，周圍達4公里之廣，以小圍牆及石牆圍繞而成。

這裡早期是京都天皇的御所，最早建於西元794年，後來經過數次的戰火焚毀，重修後，就是我們今天所看到的情景。御所內有「紫宸殿」、「常御殿」、「御學問所」、「清涼殿」「皇后御殿」等五個大殿。苑外有母子森林、桃林、梅林等林蔭大道，賞花時節遊客不斷，非常熱鬧。

特別注意的是，京都御所只有在春秋時節對一般民眾開放，如果您不是在此時節去的話，必要要事先以明信片預約，而不能以傳真或電話預約。想要在其他時節去參觀御所的讀者，請利用書末附贈的救命符。

開放時間：9:00-15:00（春秋一般開放，其他預約）

京都御所所內（3-26）

明信片內容（3-27）

麵店（3-28）

![晚餐圖示] **晚餐**

⏱ 30分鐘　¥ 650

　　參觀完這個洛中地區最大的御院，建議您走到剛才的路口，那裡有一家麵店的湯汁利用大骨熬成，味道非常香濃，常看日本美食節目的人可能知道，日本人很重視麵的湯汁，有些節目會專訪有名的拉麵店，特別介紹到其湯汁有多好吃，尤其是大骨所熬成的湯汁可說是日本人的最愛。

　　這家麵店的口味不錯，價錢也很便宜。您可以吃吃看又燒拉麵（チャシュラーメン- TyaShu-RaMen）¥650，或是ラーメン（RaMen）¥600。大碗的拉麵稱作大盛り（OmoRi），價錢是¥700。

晚餐（3-29）

 **京都御所＞新・都飯店**

⏱ 30分鐘　🚌 巴士　¥ 220

　　走出麵店，請走回原來的公車站，您可以搭(17)(205)或(4)號巴士坐回京都車站，車程需25分鐘。京都車站是終點站，您可以放心在車上小睡片刻。

　　下車之後，請照行程1跟2的路程走回飯店休息。如果您覺得時間還早或還有體力的話，建議您可以在JR京都車站的後站（就是近鐵京都站的旁邊）那一帶逛逛，有一家大型的百貨。

百貨公司（3-30）

京都之旅

新都飯店 ➡ 清水寺（二年坂、三年坂）➡
地主神社 ➡ 八阪神社 ➡ 涉成園

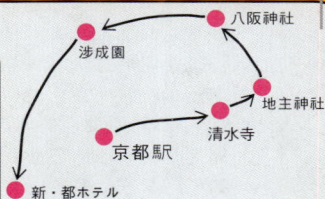

八阪神社
涉成園
地主神社
清水寺
京都駅
新・都ホテル

1. 預定時間：7.5hr
2. 費用：￥3,080
3. 注意事項：建議購買1日乘車券

新・都ホテル>清水寺

🕐 30分鐘 🚌 巴士 ¥ 220

一早吃完早餐之後，從飯店先走到京都車站的正門口，今天也是一樣搭乘巴士到各景點。從京都車站前往清水寺，可搭(206)號巴士坐到「清水道站」下車，車程約需10分鐘。

下車之後，順著車行方向走至第一個紅綠燈過馬路，仔細找找清水でんき(清水電機)，在它的旁邊有條小石板路，那就是通往清水寺的三年坂。其實要上清水寺的走法有很多種，我們可以選擇從五条坂站下車之後往上坡走，也可以選擇從清水寺道站下車之後，從清水寺道往上走。但我們建議您先從三年坂這條小石板路走到清水寺後，再從清水寺道走下來坐車回去會比較好。因為唯有這樣的走法才能輕鬆又完整體會清水寺的風情。

走上三年坂5分鐘後會看到一個五重塔，請記得走塔邊右方的路，這條路沿線都是商店街，而清水寺最有名的特產就是清水燒了，您可以在此看看，不過如果打算買回去的話，最好自己一路提回去，用托運的方式可能會摔得支離破碎。大約經過10分鐘以後，上了石板階梯，左轉路底就是清水寺。

清水寺前的三年坂與二年坂都是販賣京都特產的商店，清水燒、漬物、人形燒以及京果子等等，令人看得簡直都不想離開，真要逛的話可能大半天都看不完。這些商店雖然規模不

清水道站（4-1）

小石板路（4-2）

清水寺前的特產商店（4-3）

大，多的是政府明令保存的傳統建築。除了買買特產，這裡的建築也值得您細細品味。

石板階梯（4-4）

清水寺（4-5）

清水寺

🕐 3小時　¥ 300

三年坂的石路走到盡頭左轉便是清水道，再到盡頭就是有名的清水寺，買完門票之後，進去之前請記得在水池旁先洗個手以表示誠敬之意。

清水寺是1633年德川家康捐資興建的，因為過去京都只許東、西兩大願寺蓋在京城內，其他的廟宇均蓋在四周山中，清水寺也是如此。共有十餘座建築羅列其中，最壯觀的屬於139根木柱支撐架空的本堂舞台，它的特色是完全沒有用到一根釘子。且高達五十多公尺，憑欄遠眺整個京都景色盡收眼底，現在已成為日本的國寶。有一個傳說是這樣的，只要有病痛的人，站在清水舞台下方，就可以不藥而癒。

在寺裡還有一個類似財神爺的神像，據說拜一拜就可以帶來幸運，是幸運之神。

開放時間：6:00-18:00

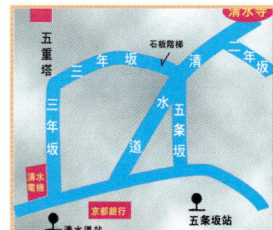

路線簡圖（地圖4-1）

本堂舞台（4-6）

去過日本旅遊的人都會發現,在日本的寺院之前,至少都會有個洗手的水池,有些水池裡還會有錢幣,那是因為日本人只要看到寺裡的水池都會把它當許願池用。就連台灣龍山寺水池的硬幣70%以上都是日本人投的,不相信的話,找個時間去觀察吧!!

夜櫻(4-7)

另外,清水寺在春、夏、秋3季各會有一段時間開放夜間參觀,您可以抽空欣賞夜間的清水寺。不過如果您是晚上去的話,就還要再另外付參拜費¥400。每年開放日期稍有變動,但原則上不脫離以下時期:春季4/3～4/11開放賞夜櫻;夏季8/14～8/16盂蘭盆會之後續夜間祭典,有點類似祭祖;秋季11/13～11/30 開放賞楓。

夜間參觀開放時間:18:30 21:30。

賞楓(4-8)

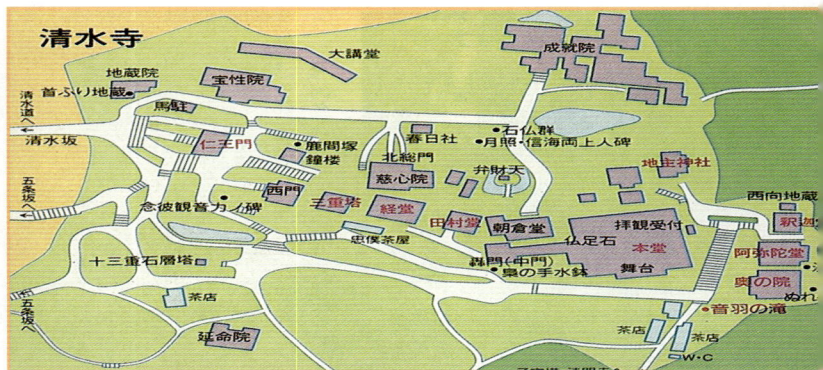

清水寺

地藏院　大講堂　成就院
首ぶり地蔵　宝性院
清水道　馬駐
清水坂　仁王門　麗閣塚　春日社　石仏群
鐘楼　北総門　月照・信海両上人碑
五条坂　慈心院　弁財天　地主神社
念彼観音力ノ碑　西門　三重塔　経堂　西向地蔵
田村堂　朝倉堂　釈迦
忠僕茶屋　仏足石　本堂　阿弥陀堂
十三重石層塔　随求門(中門)　奥の院
鳥の手水鉢　舞台　ぬれ手
茶店　拝観受付
五大観音　音羽の滝
延命院　茶店　茶店
W・C

清水寺塔配置圖(地圖4-2)

清水寺 > 地主神社

🕐 10分鐘　¥ 0

地主神社就在清水寺的境內,當您一走出本堂舞台之後,在您的左側就是地主神社的入口。

📷 地主神社

🕐 3小時　¥ 300

地主神社是祭祀京都最古老的月下老人的神社,現已是世界文化遺產。神社有個美麗的傳說－未婚的男女,若閉眼從一端的戀愛石順利地走到另一端的戀愛石,則其戀愛的願望便會實現。此特殊戀愛占卜深受大眾歡迎,有興趣的人不妨一試!!

除此之外,還可將想去除的厄運如疾病、交通事故等,寫在祈願娃娃上,祈願去厄。或是輕敲鐘,藉由鐘聲傳遞給神明,以締結良緣。如果想要在這裡祈求良緣,平日是11點,星期六、日及國定假日則是10點～16點,會有神官為您舉行「えんむすび祭」(結緣祭典)。當然這是需要付些祈福費的。

如果您對日本神官的祈福沒有興趣的話,可以買些祈求戀愛的神符回去,這裡的戀愛符還很多種,是饋贈親友的絕佳禮品。

開放時間:9:00-17:30

地主神社入口(4-9)

戀愛石(4-10)

地主神社(4-11)

姻緣線符（4-12）

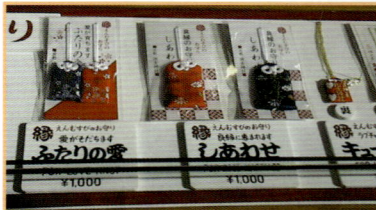

神符小幫手

當願望實現時，神符是必須送回神社的；但由於觀光客購買神符目的是紀念之用，因此不必送回。但當願望實現後，可別再送人喔！

午餐

🕐 40分鐘　¥ 600

走出地主神社後，上石梯可以看到正前方有一家麵店，我們建議您到這裡吃京都的名產 － 湯豆腐(湯どうふ － YuDoHu)。湯豆腐就是將豆腐切成小塊放在熱水當中，佐以醬料及蔥花。看著店員將一桶豆腐提到面前來，那種期待的心情真是無以比擬。

湯豆腐的吃法相當簡單，您只要將豆腐舀到碗裡，然後再加一些調味用的醬油跟蔥花，吃起來有點酸酸鹹鹹的感覺。而且，我們是在外面的棚子裡吃，感覺起來非常有古典的鄉村氣息。

神符（4-14）

湯豆腐（4-15）

棚座（4-13）

清水道（4-16）

地主神社 > 八阪神社

🕐 10分鐘　🚌 巴士　¥ 220

如果您有時間又有體力的話，我們建議您從清水道直接走到八阪神社。或者您也可以走回清水道站坐車到八阪神社，利用省下來的時間好好逛逛八阪神社。

如果走回車站，並不是循著原來的三年坂，而是從清水寺前的石板路直走到路底，就可以看到對面原來下車的公車站了。要特別注意的是，在走這條清水道的時候，路上會遇到叉路，請往右邊較小的路走，不要走左邊有麥當勞的五年坂。

要到八阪神社，可以搭(202)(206)號巴士坐到「祇園」站，車程約需5分鐘，下車以後往回走，就可以看見對面的路口有一座橘紅色的寺門，那就是八阪神社了。

📷 八阪神社

🕐 3小時　¥ 300

八阪神社的紅白相間樓門，興建於1497年，相傳八阪神社所祭拜的神祇，可保佑祇園一帶的商家生意興隆。另外值得一提的是，京都三大祭之一的祇園祭於每年的7月17日在此舉行，於這段時間到京都旅遊的人千萬不要錯過這個難得一見的祭典。

所謂的祇園，指的是出了八阪神社大門前到四条河原町一帶即是，祇園最有名的要算是藝伎了，如果有機會一定要好好瞧一瞧，另外您也可以扮演假的藝伎。怎麼說呢？因為當地有裝扮藝伎的服務，會把您裝扮得如同真正的藝伎一般，然後到附近的觀光點去拍照留念，不過這項服務需要會說日文。

車內的指示牌（4-17）

202公車（4-18）

八阪神社（4-19）

八阪神社 > 涉成園

🕐 20分鐘　🚌 巴士　¥ 220

　　從神社出來之後左轉，馬上就可以看到一個巴士站牌，在此搭(206)號巴士坐到「七条河原町」站。下車之後，往前走到第二個紅綠燈口，過馬路之後，請從「西武航空」這棟大樓旁的小路走進去，約5分鐘左右就可以在右手邊看到涉成園的入口。

巴士站（4-20）

📷 涉成園

🕐 3小時　¥ 自定

　　涉成園建於真宗大谷派本山的一處境內，因其四周種植枸橘(灌木)，而又稱為「枳殼邸」。此園於1858及1864年的時候曾遭火災，使得園內殿堂化為灰燼，並於1868年重建，而目前所看到的景物跟當初建園之初的設計相差無幾。

　　此園一年四季景色皆美，它是依平安時代的庭園而建成的書院式迴遊庭園。園內櫻花、楓葉、梅花、藤樹，四季爭美。入園時請依各人意願在入口處的捐贈箱投下費用，並留下個人資料後即可入園。由於此地也是許多台灣或大陸觀光團造訪的景點，因此還有中文簡介可以拿。

　　跟其他觀光地不同的是，一般都是附簡中版，而這裡還分繁中及簡中兩種，所以在索取的時候，只要跟他說「台灣」(日文發音跟中文差不多)，

西武航空（4-21）

涉成園入口（4-22）

服務人員就會給您繁中版。

開放時間：9:00-16:00。

涉成園內部（4-23）

晚餐

🕐 30分　🚌 巴士　¥ 220+600

　　從涉成園出來之後，請循原路走回原來下車的站牌，我們要從這裡坐車回京都車站去吃晚餐。您可以搭(206)(208)(100)坐到終點站－京都車站，車資是¥220。辛苦走了一天也該吃頓好的犒賞一下自己，建議您到京都車站前的地下街「田ざっと」吃晚餐。

涉成園周邊地図

五条通
地下鉄五条駅
地下鉄五条駅
昇降口
六条通
地下鉄烏丸線
花屋町通
東本願寺
涉成園
N
市バス停
七条烏丸
七条通
烏丸通
河原町通
京都タワー
塩小路通
京都駅
JR線

涉成園周邊地圖（地圖4-3）

晚餐店面（4-24）

⮕ 晚餐＞新・都飯店

🕐 步行30分鐘　¥ 0

　　吃完晚餐之後，請照之前的路程往 八条西口 方向走回飯店。如果還不累的話可以逛逛地下街，地下街的營業時間是到晚上8點，比百貨公司晚一點。

京都之旅

Set-5

新都飯店➡三十三間堂➡東本願寺➡
西本願寺➡車站附近百貨公司➡
京都鐵塔（夜景）

1. 預定時間：9.5hr
2. 費用：￥3180
3. 注意事項：如果想要省錢的話
   ，今天的行程可以用走的，建議
   不要購買優惠乘車券。

西本願寺　　　　　　　　東本願寺
　　　　　百貨公司
　　　　　京都鐵塔　　　三十三間堂
　　　京都駅
● 新・都ホテル

新・都飯店＞三十三間堂

🕐 10分鐘　🚌 巴士　💴 220

　　吃過早餐之後，如同前面的行程一樣，我們從京都車站搭乘（206）或（208）巴士，在「博物館三十三間堂」站下車，車程約需10分鐘。下車以後，往前走到第一個紅綠燈後右轉，過馬路後所見到的古色古香的建築物就是三十三間堂。

三十三間堂指示牌（5-1）

📷 三十三間堂

🕐 1小時　💴 400

　　建於西元1164年的三十三間堂又名蓮華王院，建築極為特殊，歇山式的屋頂綿延了一百多公尺。因神殿的內陣柱間有33處，故稱三十三間堂。

三十三間堂（5-2）

三十三間堂路線圖（地圖5-1）

以中間的巨型觀音像為中心，左右各有500座觀音像，共有1001尊而聞名，如今被列為國寶級的古物，也是目前日本唯一的千體觀音堂。中間的觀音像有11面頭，40隻手，是大佛師湛慶的名作，可以說是鎌倉時期的力作。而在千座的神像中有124座是平安時期所作，至於其他的神像則是在鎌倉時期花費16年的時間完成的。

開放時間：8:00-17:00 （11/16-3/31 為9:00-16:00）

三十三間堂 > 東本願寺

🕐 10分鐘　🚌 巴士　¥ 220

從三十三間堂出來之後，須走到剛剛下車的對面站牌等車，您可以搭(206)(208)的車子到「烏丸七條」站下車，下車後請往回走，您就可以看到東本願寺在您左前方的馬路對面。

門票（5-3）

對面站牌（5-5）

巨型觀音像（5-4）

烏丸七条站（5-6）

東本願寺

🕐 30分鐘　¥ 0

　　慶長7年(西元1602年)，德川家康將軍感覺到本願寺的淨土宗佛教勢力逐漸龐大，對個人的政治地位頗具威脅，於是在本願寺的東面建造東本願寺，扶植淨土宗教的另一派，以分散本願寺的實力。

　　廣大的寺域中除並列著大伽藍外，置放著親鸞聖人像的御影堂高38公尺、東西長58公尺、南北寬76公尺，為全世界最大的木造建築物。此御影堂與本堂屢遭祝融之災，現在所見為明治時期所重建，在1895年大加修葺。

　　5年前來的時候，我對這裡印象最為深刻的就是鴿子，真的可以用滿坑滿谷來形容，想要餵鴿子的人可以帶點花生，或是在這裡買鴿豆餵，會很有成就感的。(註：日本的鴿子會吃花生，我發誓!!!)

東本願寺對面路標（5-7）

東本願寺（5-8）

開放時間：05：50 - 17：30，
11月-2月　06：20 - 16：30。

鴿子（5-9）

東本願寺 ＞ 西本願寺

🕐 步行10分鐘　💴 0

　　東本願寺原本與西本願寺是一體的，因主政者擔心宗教勢力過於龐大而一分為二，所以相距只有步行約十分鐘的距離。從東本願寺大門出來之後左轉，走至第一個路口，也就是從「代代木セミプール」再左轉走約10分鐘左右，就可以看到西本願寺。

代代木セミプール（5-10）

📷⭐　西本願寺

🕐 30分鐘　💴 0

　　該寺於1272年創建於東山，而於1592年改建於現址。日本最大的佛教宗派之一是淨土真宗，該派信徒極崇敬東本願寺與西本願寺。由於東、西本願寺本是一家，所以建築物風格看來也非常地相似。而西本願寺最值得參觀的季節是春季，時值花季，是非常適合照相留念的地方。

開放時間：平時　05：30 - 17：30，冬季　06：00 - 17：00。

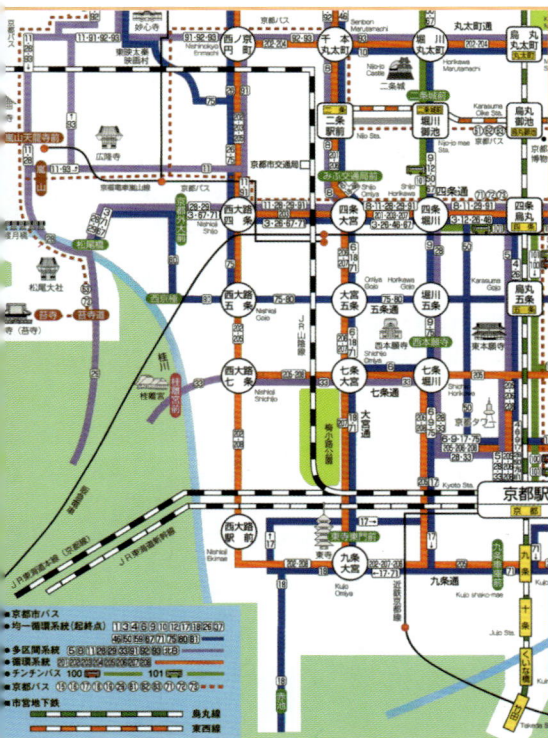

東、西本願寺的距離（地圖5-2）

西本願寺的入口（5-11）

西本願寺（5-12）

餐廳（5-13）

午餐

🕐 40分鐘　¥ 600

在西本願寺的對面有一家餐廳「ハ
イコック」（HaiKoKu），只要走到
馬路對面的公車站牌旁就可以看到。
建議您在這裡吃咖哩豬排套餐，日
文名稱是カツカレーセット
（KaTsuKaRe-SeTo）。

公車站牌旁（5-14）

午餐＞京都近鐵百貨

🕐 3小時　🚌 巴士　¥ 220

由於今天所安排的景點離京都車站
很近，在交通上所花費的時間也就比
較少，如果想要節省經費或想要親身
體驗京都的風情，建議您今天的行程
都可以用走的，現在說好像有點太晚
了。不過旅遊工具書是要事前看的，
而不是邊走邊看，如果已經吃完飯才
看到這一段的話，當然會太晚。

巴士（5-15）

　　若真的不想走路，吃完飯可以在餐廳前的公車站等往京都 駅 前的巴士，像是(9)(75)號巴士都可以到。選擇走路的人，從西本願寺的正門出來後右轉，走過第二個路口就是京都車站。

　　下車以後，可以走到京都車站前的近鐵百貨公司去逛一逛，或者也可以到京都車站2樓的「伊勢丹百貨」採購，明天晚上就要離開京都了，有什麼想要買的東西就趁今天買吧!!我們留了一個下午的時間給您自由運用。

　　建議您在京都只要購買一些民俗藝品就可以了，想要買電氣用品的人，京都市當然也有所謂的電氣街可以購買，您可以到河原町去選購，大約是在三 条、四 条這一帶有很多的百貨商場，電氣街也在此。不過建議您還是到大阪的「日本橋」去購買，樣式跟價錢都不會比京都的差，最重要的是大阪行程在後，您不須扛這麼長一段路。

晚餐

🕐 60分鐘　¥ 750

　　在京都車站前的地下街有一條「PORTA」美食街，各式各樣的餐點令人食指大動。您可以從車站前的任何一個地下道下去地下街吃晚餐，今天我們所選擇的是「 にぎりセット 」(NiGiRi-SeTo)－御飯團套餐。

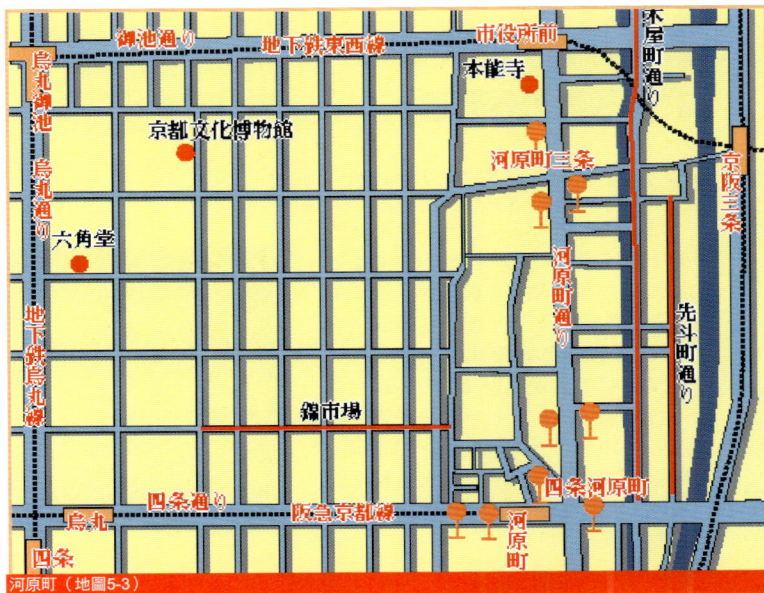

河原町（地圖5-3）

御飯糰套餐（5-16）

晚餐餐廳（5-17）

晚餐＞京都塔

🕐 步行10分鐘　¥ 0

　　京都塔就在京都車站的正對面，只
要走出地下街就可以看見。您必須先
走到京都塔飯店的一樓，到手扶梯的
後方有個售票口去購買京都塔的觀覽
券，票價是¥770圓。買完票之後，
再到右方的電梯坐到最高層去觀賞京
都市的夜景。

📷 京都塔(Kyoto Tower)

🕐 2小時　¥ 770

　　此塔為1964年在京都車站前建立
至今的建築，可以說是千年古都－
京都的玄關。地下3層、地上9層的
大樓共高131公尺，最上層的展望台
高100公尺，為圓筒式的造型設計，
可容納400名遊客。鐵塔大廈內的
5F-9F是飯店，地下一樓是餐廳、禮
品商店街，地下3樓則為公共澡堂，
如果您有興趣的話，可以來這裡洗大
澡堂，憑展覽券可以折價¥150。

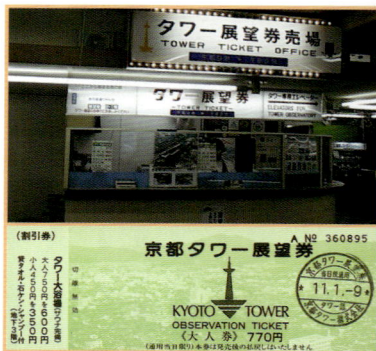

售票口、展覽券（5-18、19）

入口指示（5-20）

　　在高塔上不僅可將京都盡收眼底，並可遠眺至洛中、洛外、大阪、奈良，且鐵塔是24小時開燈，據說最好看的時間是傍晚的時刻。

　　塔下還有很多京都歷史的動態展示，如果您不是在三大祭典的時候來京都，也可以在此看看展示，觀賞一下京都的歷史背景。

開放時間：瞭望室09：00 - 21：00。全年無休。

京都塔（5-22）

京都塔內部展示（5-21）

京都塔＞新・都飯店

🕐 步行10分鐘 ¥ 0

　　從京都鐵塔出來之後就是JR京都站的正對面了，走進車站之後，我們沿著昨天去飯店的路線，上右邊的手扶梯走至 八条西口 的出口之後，右轉下樓的左前方就是我們所住的新・都ホテル。

飯店（5-23）

前進奈良

今日行程

新都飯店 ➡ 金閣寺 ➡ 龍安寺 ➡
東映太秦映畫村 ➡ 新都飯店 ➡
奈良飯店

1. 預定時間：10hr
2. 費用：￥6,000
3. 注意事項：吃完早餐後請
　 先辦理退房手續

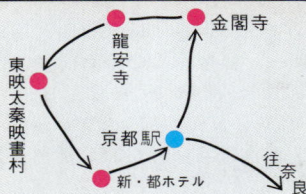

金閣寺

龍安寺

東映太秦映畫村

京都駅

新・都ホテル

往奈良

新·都飯店 > 金閣寺

🕐 30分鐘　🚌 巴士　¥ 220

　　吃過了早餐之後，我們要辦理CHECK-OUT，因為晚上要前往奈良飯店。為了節省讀者的經費，建議您在出發至金閣寺前，先辦CHECK-OUT並將行李寄放在飯店內，可以節省寄物櫃的費用，寄放行李的說法請參照救命符的部份，或者用日文說「荷物を預りしたいんですが」(NiMoTsuWoAtsuKaRiShiTaiDeSuGa)。櫃台人員就會請旁邊的行李員將您的行李拿去寄存，並給您一份收執聯，屆時就可以拿這一張來換回行李。如果您住的飯店離京都車站很遠的話，也可以將行李先拿到京都車站找個寄物櫃放，依櫃子大小，價錢從¥300～¥600不等。

　　寄完行李後再走到京都車站前的巴士站去搭乘巴士，從京都車站前往金閣寺的巴士只有(205)號而已，上車以後約搭25分鐘的車程在「金閣寺道」站下車。

櫃台、早餐（6-1.2）

寄物櫃（6-3）

金閣寺道站（6-5）

205公車（6-4）

🔧 住宿小幫手

　　千萬別忘了要在11點前辦理退房手續，否則是會被加收住宿費用。

下車後往回走到第一個路口，會看到一個右轉指示牌，右轉後直走約3分鐘就到金閣寺。不過到售票處還要再走一會，門票與銀閣寺一樣，又是一張白色的安家符。

📷⭐ 　　　金閣寺

🕐 1小時　¥ 300

金閣寺原為鎌倉時代的西園寺公經的別墅，後為幕府將軍足利義滿接手建了山莊北山殿。以金閣為中心所設立的庭園，據說給人一種極樂淨土的感覺。義滿死後，受遺言指示的夢窗國師依義滿的法號，將此處命名為「鹿苑寺」。因此當您進來金閣寺的時候，便可以看見一個很大的看板記載：金閣寺不是寺，正確名稱是鹿苑寺，而只是以收藏釋迦牟尼佛的骨頭的金閣作為俗名。

指示牌（6-6）

安家符（6-7）

金閣寺附近地圖（地圖6-1）

金閣寺～御室

Kinkakuji Temple 金閣寺
Ryoanji Temple 竜安寺
衣笠宇多野線・きぬかけの道
Toji-in Temple 等持院
西大路通U
Ninnaji Temple 仁和寺
高尾口　御室　妙心寺　竜安寺道　等持院　北野白梅町
京福電鐵北野線
Keishun-in Temple 桂春院
Myoshinji Temple 妙心寺
退藏院 Taizo-in Temple
双が丘

售票處（6-8）

金閣寺的名氣遠大於銀閣寺，大概是因為三島由紀夫的小說「金閣寺」所帶來的盛名。其實金閣寺是足利義滿於1379年所建的別墅，但已經於1950年時被一個瘋和尚焚毀，而於1955年重建，所以金閣反而不如銀閣來得歷史悠久。不過人們總是喜歡美的事物，金閣的美令人無法抗拒，於是絡繹不絕的遊客接踵而來，沒有人在乎這是原有的或新建的。

開放時間：9:00-17:30 （10月至3月至17時）

金閣寺（6-9）

點心時間

🕐 30分鐘　¥ 600

　　當您散步在池旁，可觀賞到金閣映於水中的倒影，非常美麗。待走過庭園另一側看到有一個茶室，上面寫著可享用含有金箔的點心。雖然曾聽說過日本有金箔拉麵，趁此難得的機會，正好親身體驗它的滋味。

金閣寺境內圖

金閣寺境內圖（地圖6-2）

茶室裡面是一間和室，沒有任何的坐椅及桌子，所以您必須屈膝或盤腿而坐。坐下之後服務人員會端上一盤點心及一碗日式抹茶，在端送的同時，服務人員會說明這是金閣寺的點心特產。請注意一下，當服務員說明完之後就要付錢了，費用是六百日圓。

在這裡告訴各位一些喝日本茶的方式，以免失禮於外國人面前。首先將點心以一口或兩口吃下後，接著一手托碗、一手置於碗邊，將茶碗轉2次並將花紋朝向正面後，一口將茶喝完放下茶碗，並用手將碗上的茶漬抹淨，這樣就算符合日本茶道的禮儀。

可能有人會想，一下子就喝完不是很不划算嗎?雖然吃東西的時間短，但是我們發現大多數的人都是喝完以後，聊聊天看看風景才會離去。

座位（6-10）

點心（6-11）

 金閣寺 > 龍安寺

🕐 5分鐘　🚌 巴士　¥ 220

從金閣寺大門出來之後，馬上就可以看到對面有指示牌，說明到龍安寺的巴士站請往右走，我們要在此搭乘(59)號巴士到「龍安寺前」站下車。下車後對面就是龍安寺的入口。

站牌（6-12）

指示牌（6-13）

59號巴士（6-14）

龍安寺的入口（6-15）

📷⭐ 龍安寺

🕐 1小時　¥ 400

　　龍安寺的門票是￥400，旁邊雖附有售票機，但只供販賣學生票使用，所以一定要到售票處買。

　　此寺建於1450年，以前是德大寺的別墅。龍安寺的石庭沒有用到任何的木頭跟草，最出名的就是它的枯山水。庭園內敷滿白沙，由東向西排列著十五個石頭，妙藏天機無隙可擊，看不懂是應該的，因為從來沒人看得懂當中蘊含的禪機。

門票（6-16）

售票處（6-17）

枯山水（6-18）

龍安寺內（6-19

　　在寺內還有一個銅錢模樣的水池，在錢的四周可看見「五、隹、足、矢」4個字，如果共用中間的口字就會成了「吾唯足知」，你明白這個禪語嗎??

開放時間：8:00-17:00（12月-2月為8:30-16:30）

午餐

🕐 30分鐘　¥ 950

　　觀賞完龍安寺的枯山水之後，建議您到龍安寺旁的飲食店用餐，您可以在店門口看好想要吃什麼料理，然後再到櫃台前點餐付費，櫃台人員就會給您一張餐券，只要拿著餐券到旁邊找個座位坐下來就行了。我們今天吃的是えびフライ定食(Ebi Hu Ra I-Tei Sho Ku)，一客是¥950。

銅錢（6-20）

龍安寺庭園（6-21）

龍安寺分佈圖（地圖6-3）

餐廳店面（6-22）

午餐（6-23）

 龍安寺＞東映太秦映畫村

🕐 30分鐘　🚃 電車　¥ 230

　　到映畫村需要搭京福鐵道嵐山線的電車到「太秦」站。當您在龍安寺吃完午餐之後，請走寺門前的那條路，過馬路以後走沒多久，會經過一個寺門，這是龍安寺的第一個入口，再往前走到路底後，您會遇到一個三叉路口，此時請往左轉，直走約5分鐘到路底之後，再往右轉走到鐵道旁，接著往右轉順著鐵道走沒多久，您就會看到一個月台。

　　請走到往嵐山的電車方向，然後坐到「帷子の辻」站，下車後在2號月台換隔壁車道的電車，在「太秦(うずまさ)」站下車。在此特別提醒您一下，換車的時候並不需要給司機車錢，您只管下車等隔壁車道的車子來就可以了，然後在太秦站下車時再給司機車資就可以了。

指示牌、車站、換車月台（6-24.25.26）

下車以後往回走，就可以看到一個指示牌請您右轉，也就是走中央信用金庫前的這一條路，步行約5分鐘後，請在第一個十字路口左轉，直走約1分鐘，您就可以看到「東映太秦映畫村」。

指示牌（6-28）

直走約一分鐘的路牌（6-27）

📷 東映太秦映畫村

🕐 4小時　　¥ 2200

太秦映畫村的門票可以刷卡，但不需簽名。

太秦映畫村可以說是日本電影的故鄉。這是電影界設計建築的一個村莊，占地約兩萬八千多平方米，屋宇、橋樑、街道等，極富古代風味。遊客往往可以看到電影明星穿著古裝拍攝電影的景象，有機會的話還可以跟裡面的明星一起拍照呢!!。

在村內有「映畫文化館」，展示有關電影主題的許多內容，也陳列著許多城堡、農家、橋樑等模型，常放映很多有趣的電影。裡面還有「扮裝寫真館」提供您扮演古裝的道具，想要

東映太秦映畫村入口（6-29）

購票處（6-30）

留個紀念照的人可以來這裡照個相。在裡面還有忍者的模型，造型非常逼真，乍看之下很像真人。

另外，在映畫村內有一個「中村座」，約每小時都會表演一齣現場的忍者時代劇，非常地精彩，就算是不懂日文的人也可以感受到其中的氣氛。現場允許攝影及照相，如果有興趣的人可以照相留念。映畫村內還有許多有趣的設施，像是「港町」這個地方還會出現恐龍，筆者忍不住猜想是不是以前拍「酷斯拉」的場景。

另外還有一處「チャンバランド」，大約每20分鐘一場天崩地裂之後，會出現一隻三面羊頭的怪獸，蠻精彩的，有帶V8的人別忘了拍回來給朋友們看。不能免俗的，映畫村內也有設置購物區可供你買些記念品回去。

開放時間：9:00-17:00 (12/1-2/28 9:30-16:00)，休假日：12/21-1/1

忍者（6-31）

電影演員（6-32）

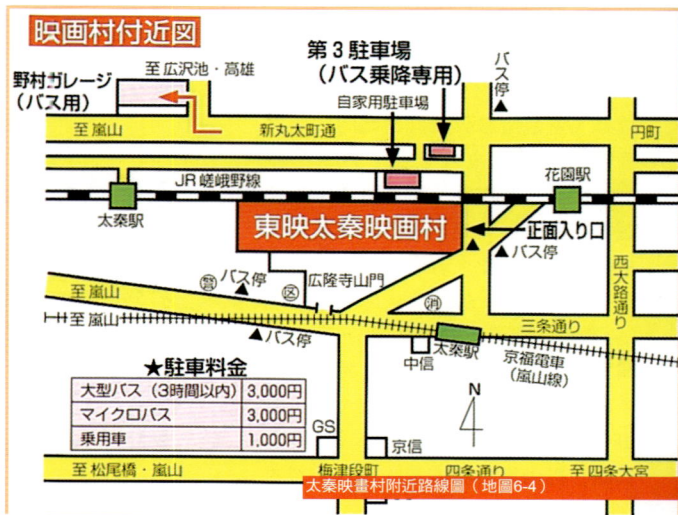

映画村付近図

第3駐車場（バス乗降専用）

バス停

野村ガレージ（バス用）

至 広沢池・高雄

自家用駐車場

至 嵐山　新丸太町通

円町

JR嵯峨野線

花園駅

太秦駅

東映太秦映画村

正面入り口

バス停

バス停

広隆寺山門

西大路通り

至 嵐山

至 嵐山

三条通り

太秦駅

中信

京福電車（嵐山線）

N

★駐車料金

大型バス（3時間以内）	3,000円
マイクロバス	3,000円
乗用車	1,000円

GS

京信

至 松尾橋・嵐山

梅津段町

四条通り

至 四条大宮

太秦映畫村附近路線圖（地圖6-4）

三面羊頭怪（6-33）

購物區（6-34）

東映太秦映畫村 > 京都 新・都飯店

🕐 40分鐘　🚌 巴士　¥ 220

回程的時候，建議您往太秦站方向走，待走到銀行前的那條路口後(不要過馬路)右轉走約2分鐘，您就可以看到「太秦廣隆寺前」巴士站。可以在這裡搭京都バス(71)(72)(73)到京都車站下車，再照著之前的行程走回可愛的飯店去提領今早寄放的行李。

太秦廣隆寺前 巴士站（6-35）

太秦廣隆寺（6-36）

京都新・都ホテル ＞ 奈良

🕐 61分鐘　　🚃 電車　　¥ 610

　　從京都到奈良的交通方式有很多種，最方便的就是搭電車了，既不必擔心堵車又不須煩惱聽不懂站名而錯過了站。從飯店出來後，直接到飯店右前方的近鐵京都站或JR京都站搭車到奈良。

　　在此建議您選擇近鐵京都線會比較好，因為近鐵比JR便宜又快一點。走進近鐵京都站內，請在左側的購票機購買¥610的車票，通過剪票口後上二樓的月台去等車。

　　到了二樓的月台可以看到(1)(2)月台都有車子可以通往奈良，煩請參照月台上的行車表。眼尖的人可能會看到(4)號月台也有寫著「奈良、特急」的字樣，會以為那裡也可以上車。要特別注意的是「特急」有點像我們的「自強號」，所以如果您要用¥610的車票坐上車的話，下車可是要再補¥500的特急車資。

　　另類走法：京都→奈良(JR奈良線) 1小時19分，¥690。

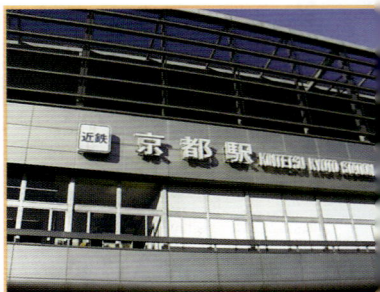
近鐵京都站（6-37）

購票機（6-38）

月台（6-40）

剪票口（6-39）

近鐵奈良站＞奈良フジタホテル

🕐 步行10分鐘　¥ 610

　　下車以後，請走上樓後往剪票口的方向出去，走出近鐵站後請往左轉，走到路底後右轉直走，過了第一個紅綠燈口，再走沒多久就可以在右側看到我們今晚要住的フジタホテル。

車站到飯店的路（6-41）

INN　奈良フジタホテル

　　奈良フジタホテル(NaRa HuJiTa-Hotel)（奈良藤田飯店）是奈良當地很大的觀光飯店，房間很多，在1樓有庭園餐廳，可一邊用餐，一邊觀賞景致，如果到飯店的時間還早且不想那麼早睡的話，建議您可以在1樓的酒吧喝個飲料休息一下。

飯店內庭園餐廳（6-42）

飯店附近地圖（地圖6-5）

奈良フジタホテル（6-43）

奈良行

藤田飯店➡奈良公園(猿り池➡五重塔➡春日大社➡東大寺)➡法隆寺

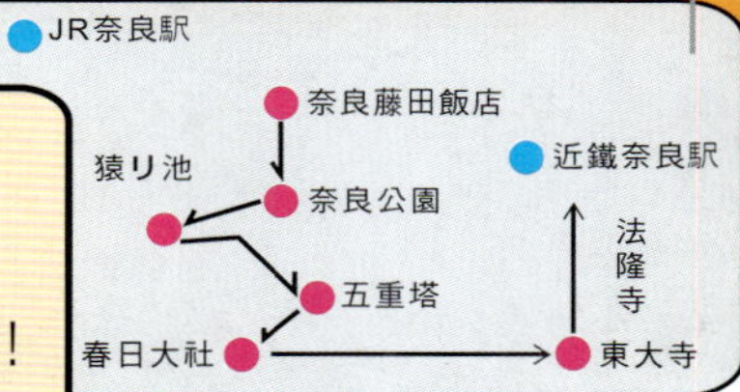

JR奈良駅
奈良藤田飯店
近鐵奈良駅
猿り池
奈良公園
法隆寺
五重塔
春日大社
東大寺

1. 預定時間：9hr
2. 費用：¥4,600
3. 注意事項：買些煎餅餵鹿吃！

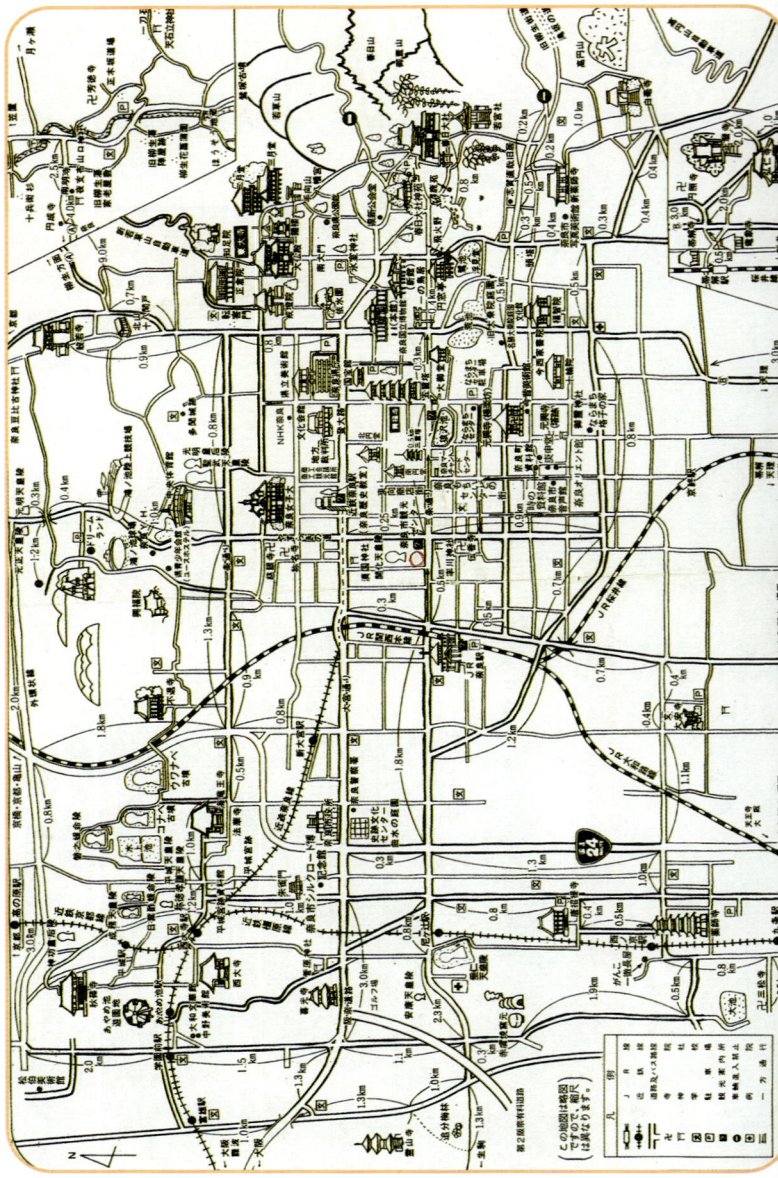

奈良周邊地圖（地圖7-1）

早餐

🕐 40分鐘　¥ 0

　　奈良藤田飯店的早餐是自助吧台的方式，不管是西式或是日式，您可以挑選自己所喜愛的菜色。由於今天要走很久的路程，所以在此建議您吃多一點，免得在路途中挨餓。其實並不是買不到東西吃，只是整個奈良公園裡都是專門壓榨觀光客的攤販，東西不是有點難吃就是有點貴。

　　如果您真的沒有辦法像袋鼠一樣多塞些吃的話，可以在往奈良公園的途中買些麵包會比較好。

早餐（7-1）

奈良藤田飯店＞奈良公園

🕐 走路10分鐘　¥ 150

　　從飯店大門出來，往左轉直走到路底就是奈良公園，走這段路的時候您會經過「奈良市觀光センター」(奈良市觀光中心)，到第3個紅綠燈之後，您就會在右側看到一個「猿沢池」，代表已經進入奈良公園的範圍。

飯店大門（7-2）

奈良市觀光中心（7-3）

入口處（7-4）

🕐 1小時　¥ 300

奈良公園的範圍很大，寬約4公里，長約2公里，裡面有興福寺、東大寺、春日大社等有名的神社，安置佛像的堂塔更不知有多少。

奈良公園內約有1200頭的鹿，因為這裡也是奈良著名的梅花鹿觀光公園，園內無數馴鹿穿梭林中，並不時向遊客乞食。在公園的入口處附近會看到有些在賣せんべい（煎餅）的攤位，一份大約¥150，您可以買一份用來餵食公園內的鹿。

我還記得第一次去奈良公園的時候，那些鹿為了吃我手上的煎餅，好像餓狼撲羊一樣，全部狂奔了過來，原本可愛的感覺，一下子變成了恐怖的感受。

經過筆者實地體驗後，發現奈良公園的鹿有一大特色：在路上閒逛的，多是「吃飽撐著」的鹿，雖然牠們對煎餅依舊興趣盎然，但絕沒有林子裡的鹿來得「餓鬼」。所以建議您既然花錢買了煎餅，不如吸引在林中休息的鹿，只要牠們眼睛一瞄到煎餅，不管多遠立刻飛奔而至，甚至還會跳出路旁的柵欄。這樣的盛況絕對令您畢生難忘。

京都飯店＞奈良公園（地圖7-2）

猿沢池

🕐 30分鐘　¥ 0

周圍360公尺，水面上映出的是五重塔的影子，可說是奈良有名的風景之一，尤其是傍晚時分來觀賞，別有一番風味。

池的西側是古時平城京跟藤原京連結的通道。據說此池有7個不可思議之處，就是水三分、魚七分、不清澄、不混濁、不進不出、沒有蛙跳出水面、也不會長水藻。不妨仔細看看是不是真的如此?!

傍晚時分的池畔（7-5）

五重塔

在猿沢池的對面就是五重塔，您在進入奈良公園的時候，就可以在左前方不遠處看到一個五重塔，這可說是奈良公園的象徵物，是光明皇后發願於730年時建立的，後來經過很多次的火災，現在您所看到的是室町時代重建的，高有51公尺，僅次於京都東寺的五重塔。

鹿（7-6）

五重塔（7-7）

五重塔 > 春日大社

🕐 走路20分鐘　💴 0

　　從五重塔的原入口再走回剛剛的
馬路後，再往前直走過第一個馬路，
就是春日大社的第一個大鳥居，之後
還需再走10分鐘左右，當您看到有
一個大鹿銅像的淨水台，再走右邊那
條石板路，沒多久就到達春日大社的
入口。

📷 春日大社(kaSuGa-TaiSha)

🕐 1小時　💴 500

大鹿銅像的淨水台（7-8）

　　春日大社建於神護景雲2年(西元
768年)，是日本最古老且最著名的
神道神社之一，是藤原鎌足的兒子藤
原不比等所建造的。

　　神社的建築可說是日本漆器工藝
運用在建築上的代表作，朱紅色的建
物全都是用漆器堆砌而成的。社內約
有3000個燈籠，迴廊上就掛有約
1000個，非常壯觀，其他的分佈在
神社簷下及社內的庭院，這些燈籠都
是由熱心人士捐贈的，還有一小部分
的燈籠是平安年間的古物。您可以在
入口右側護身符的販賣處繳交￥500
的初穗料，就可以入內參觀。

石板路（7-9）

門票（7-10）

護身符販賣處（7-11）

在這裡介紹一下個人認為春日大社最有特色的神符－姻緣符，在之前京都的行程當中，想必各位一定會看到在各神社都會賣有神符，有求健康、安產、考試順利的，大致上外形多半都是大同小異的布袋符。而筆者在這裡發現一種蠻有特色的姻緣符，它是以鹿做造形，算是奈良公園萬鹿鑽動外的又一特產。

鹿符共分2種，一種是公鹿，一種是母鹿；男性要購買公鹿，女性要購買母鹿，上面都附有鹿鈴；據說只要鹿符一響動，就會吸引異性，所以想要吸引男性就得要買母鹿，千萬別買錯了。

如果本身有心儀或正在交往的對象，就得公母一起買，這樣就能緊緊拴住心上人了。

另外，在春日大社南面有一「若宮神社」，這裡曾經是日本貴族的家宅，每年的春日大社大祭都在這裡舉行，場面莊嚴，參加的民眾非常多，如果您的時間還充裕的話，建議您過去看看。

開放時間：9:00-16:00

春日大社（7-12）

迴廊（7-13）

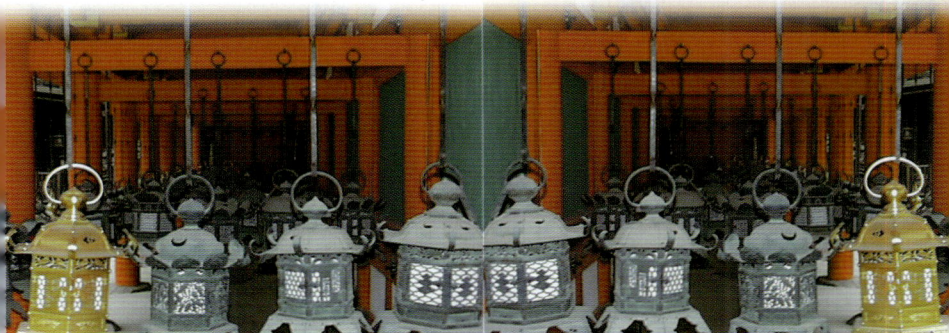
燈籠（7-14）

春日大社 > 東大寺

🕐 走路15分鐘　¥ 0

　　請先走回春日大社的第一個鳥居處，然後再往右轉直走過一個十字路口，您就會看到東大寺的大門。

📷⭐ 東大寺(ToDaiJi)

🕐 1.5小時　¥ 400

　　東大寺又稱為大佛殿，其實就是有一座大佛在內。此寺創始於西元743年，費時6年才完工，是奈良最重要的寺廟。大佛殿內供奉的是巨大的宇宙佛毘盧遮那青銅像，興建該堂的用意在宣揚天皇朝廷的聲威。東大寺目前仍是世上最大的木造建築，且內部依然保持了屬於古奈良的中古式幽暗宏偉氣派。入內參觀需花費¥400。

　　東大寺原名為「華嚴宗寺院」，有「金光明四天王護國寺」、「大華嚴寺」等⋯⋯別稱，與興福寺同為奈良佛教的重鎮，也是日本建築藝術的精華。

　　東大寺的本殿(又稱金堂)內供奉毘盧遮那佛．鑄造於八世紀中葉，佛像高16.2公尺，面部長4.8公尺，佛手長3.6公尺，重量約為452公噸，據傳曾是全世界最大的銅佛像。據說許願之後，可以得到往生極樂之福。

　　在南大門內有雕工繁複的木造建築，是日本最大的佛寺廟門，大門的

東大寺的大門（7-15）

東大寺（7-16）

金剛力士像（7-17）

兩側各有高8公尺的金剛力士像，也被列為日本國寶，在門的北方有中國宋朝風格的石獅子。

東大寺內的四天王立像，是天平時代的雕刻品，也同樣被列為日本國寶。

開放時間：
3月08：00～17：00，4月～9月07：30～17：30，10月07：30～17：00，11月～2月08：00～16：30。

昆盧遮那佛像（7-18）

午餐

40分鐘　¥700

建議您午餐可以到東大寺門外街道去吃，在這裡有幾家餐廳供應簡單的吃食，今天我們教您點的是日式炒麵(やきそば－YaKiSoBa)，費用是¥700。

日式炒麵（7-19）

東大寺 ＞ 法隆寺

🕐 40分鐘　🚌 巴士　¥ 720

從東大寺大門走出來之後，請走到第一個十字路口，要往法隆寺的巴士站就在您的左前方，也就是奈良博物館前面的巴士站。我們要搭(60)號公車往法隆寺，車程約需30-40分鐘，請在「中宮」的下一站下車。

要特別注意旳是，奈良市的公車並不像京都的公車一樣，在司機旁的標示牌會顯示站名，而是以念的方式，如果聽不懂法隆寺的日文怎麼說，就要特別注意一下公車站名，記得上車後選擇左側座位，注意看站牌，等到一過「中宮」站就按鈴，準備下車。

下車以後您可以看到前方有一個「法隆寺→」的招牌，順著路標我們得知，要先右轉過馬路後再往前走到「法隆寺センター」這幢建築物，往右轉直走到底就是法隆寺。

東大寺外部（7-20）

60號公車（7-21）

巴士站（7-22）

法隆寺站（7-23）

法隆寺

🕐 2小時　　¥ 1000

　　法隆寺的售票處在進門後的左方，由於寺內有「西院伽藍」「大寶藏院」「東院伽藍」三大院，故門票需¥1,000。另外法隆寺內每小時都會有一位免費導遊在入口附近解說，不過這項免費的服務只有會日文的人才有機會可以享受。

　　法隆寺建於西元607年，共有40多個院舍，由聖德太子所建，佔地廣闊，分東西兩院，規模之大，由南大門進入，可看到「仁王門」，門側有兩座金剛力士像，是西元711年時的雕刻品，相當精緻。沿著兩側迴廊式土屏，可達神殿，神殿雕有「卍」字的欄杆並列，為奈良木雕藝術的極品。

法隆寺センター（7-25）

售票處（7-26）

招牌（7-24）

金剛力士（7-27）

金堂位在西院的中心點，內有許多美術精品。東邊有五重塔並列，堂內供奉金銅德迦三尊像，右側為飛鳥時代所打造的藥師如來像，左側為阿彌陀如來像，是鎌倉時代所造的，被封為日本國寶。三尊佛像因雕造年代的不同，表現出來的藝術風格也都不相同。堂內四角有須彌神壇，供奉木造的四大天王像，根據考察是西元七世紀的作品，猜測可能是日本最古老的四大天王像，神像下方並有繁複唯美的奇獸圖。

金堂後方的大講堂內供奉藥師三尊座像，在正歷元年(西元990年)時因遭雷擊失火，現在看到的是平安時代重修後的建築。

迴廊東面是聖靈院，是皇室寢宮式建築，內供奉聖德太子像，沿著聖靈院前方小道往前走，可看到鏡池畔的大寶藏殿。寶藏殿為鋼筋混凝土建築，陳列了法隆寺的佛寶與佛像，天平時代的佛教藝術精華，幾乎都收藏在寶藏殿內。

傳說東院曾是聖德太子居住的殿堂－「斑鳩宮」，天平11年(西元739年)，聖德太子過世後，本地的僧侶為聖德太子大做冥福法會，在這安置了一座八角形的佛殿－「夢殿」，是

南大門 (7-29)

金堂內部 (7-30)

五重塔 (7-28)

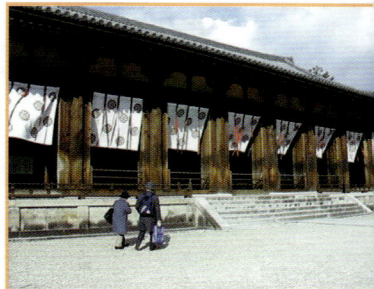
大講台 (7-31)

本地最特殊且最精緻的建築，供奉著救世觀音像與聖德太子像。目前此處已被日本列為國寶。

　　鼓樓旁邊的舍利殿，供奉著鑑真帶來的佛舍利子，每年的5月19日開放供香客朝拜。講堂東側的長排院舍為禮堂，古時是道場。再來就是藏經樓，收集了許多創寺前的古老經文等。

開放時間：08：30～16：30

夢殿（7-32）

法隆寺＞奈良藤田飯店

🕐 30分鐘　🚌 巴士　🏊 JR.　¥ 380

　　回程時，我們建議您在一出寺門便可見到的巴士站牌等候可到「JR法隆寺站」的(72)號小巴士，大約每20分鐘會有一班車，票價是¥170。

　　下車時就是JR法隆寺站了。請到購票機購買¥210的車票，然後上天橋走到對面的3、4號月台坐往奈良的電車。

　　從奈良站下車以後，走出車站過十

字路口後，走大丸百貨旁的石板路，約5分鐘後就可以在路的左方看見フジタホテル(藤田飯店)。

JR法隆寺站（7-33）

電車（7-35）

3.4號月台指示（7-34）

晚餐

🕐 60分鐘　¥ 830

　　奈良的物價比京都、大阪便宜許多，我們建議您在飯店前的街上用餐。今晚我們要點用的是「まんぶくセット」(ManBuKu-SeTo/滿腹大餐)，費用是¥830一份。

　　如果用完餐後還有時間，建議您可以在奈良買些點心，這邊的價位會比大阪便宜一點。

晚餐（7-35）

目標大阪

奈良飯店➡大阪飯店➡大阪城➡
天王寺公園➡FESTIVAL GATES➡
空中庭園展望台

FESTIVAL GATES
空中庭園
第一飯店
大阪城
天王寺
奈良飯店

1. 預定時間：12hr
2. 費用：¥5,270
3. 注意事項：請穿著輕便衣
　服至遊樂場玩。

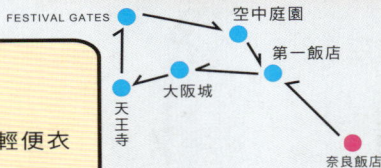

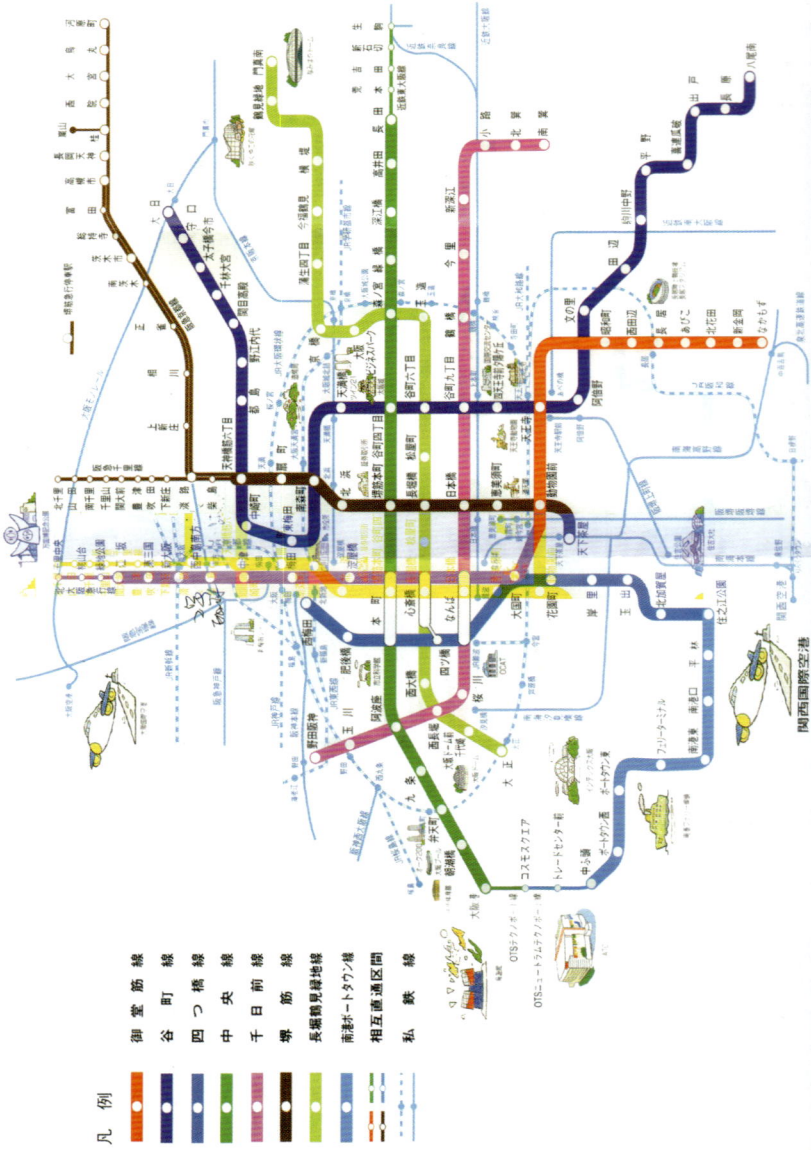

大阪地鐵圖（地圖8-1）

奈良飯店 ＞ 大阪飯店

🕐 50分鐘　🖊 JR　¥ 780

今天的行程以大阪觀光為主，所以我們一大早就要辦理Check-out手續。早上請早一點起床，最好能夠在9點以前出門。由於我們要住的大阪第一飯店離JR站比較近，故需搭乘JR往大阪。從藤田飯店出來後往右走約5分鐘，您就可以看到JR奈良站。

進了奈良站，先至購票機購買¥780的車票，通過驗票機之後，請上天橋至3、4號月台搭往大阪的電車。大約坐41分鐘的車程，經天王寺站後在大阪站下車。下車以後走出中央口，往右直走2分鐘後走出出口，您就會看到對面有一幢紅磚色圓筒型的建築物，那就是第一飯店。

JR奈良站（8-1）

車票（8-2）

3、4號月台（8-3）

大阪第一飯店（8-4）

另類走法

近鐵奈良站→近鐵難波站，￥540，1小時1班，車程31分鐘。後轉近鐵難波站→JR大阪站，￥270，2-8分1班，車程16分鐘。

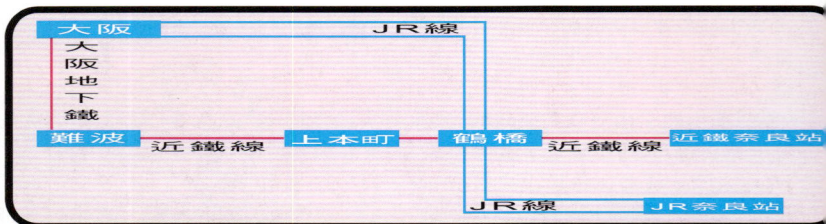

走法路線圖（地圖8-2）

大阪第一ホテル

大阪第一飯店(Osaka-TaiIchi-Hotel)的房間數共有478間，是一座圓筒型31層高的建築物，所以又稱「大阪マルビル」(Osaka-MaRu BiRu/大阪圓型建築)，除了住宿之外，1-8樓有各式餐廳及宴會場所供用餐、結婚儀式之需，想要看看日本婚禮的人，可以到4-6樓偷看一下哦！

由於到達的時間還不到check-in的時間，為了節省寄物櫃的費用，您可以先將行李拿到飯店，在櫃台提示住宿券後，並要求將行李寄放在飯店。寄放行李的說法，就是「荷物を預りしたいのです」(NiMoTsu-Wo-AtusKaRiShiTai-Desu)，或者可以參考救命符。

住宿卷及櫃台（8-5.6）

淀川
十三バイパス
国道176号線
中津
阪急電車
大淀警察署
至新大阪

ガソリン
スタンド
済生会
病院
ホテル阪急
インター
ナショナル
MBS
ロフト
新御堂筋
JR東海道線

小包集中局
公園
JR西日本
本社
阪急梅田駅
茶屋町口
梅田
センタービル

公園
新梅田
シティ
ファースト
キッチン
新阪急ホテル
地下鉄東梅田
梅田新道出口

コンピューター
総合学園
HAL
(車は通れません)
地下歩道

歩道橋
JR梅田貨物駅
衣料店

朝日放送
北交差点
阪急
百貨店

大淀南
公園
JR大阪駅
中央北口

公園
大丸百貨店
梅田
東梅田

朝日放送
曽根崎
警察

ホテルプラザ
テニス
コート
梅田
阪神
百貨店
地下鉄谷町線

ザ・シンフォニー
ホール
ライオン
梅田ランプ
大阪中央
郵便局
阪神梅田駅
ヒルトン
ホテル
駅前
第4ビル
地下鉄御堂筋線

至神戸
JR環状線
ハービス
大阪
西梅田
ヒルトン

毎日新聞
東西線
北新地駅
駅前
第1ビル
マルビル
駅前
第2ビル
駅前
第3ビル

福島ランプ
ゲート
タワービル
阪神電車
国道2号線
地下鉄
四ツ橋線
四ツ橋筋

福島
阪神高速道路線
車
徒歩
N

東西線
新福島駅
浄正橋
御堂

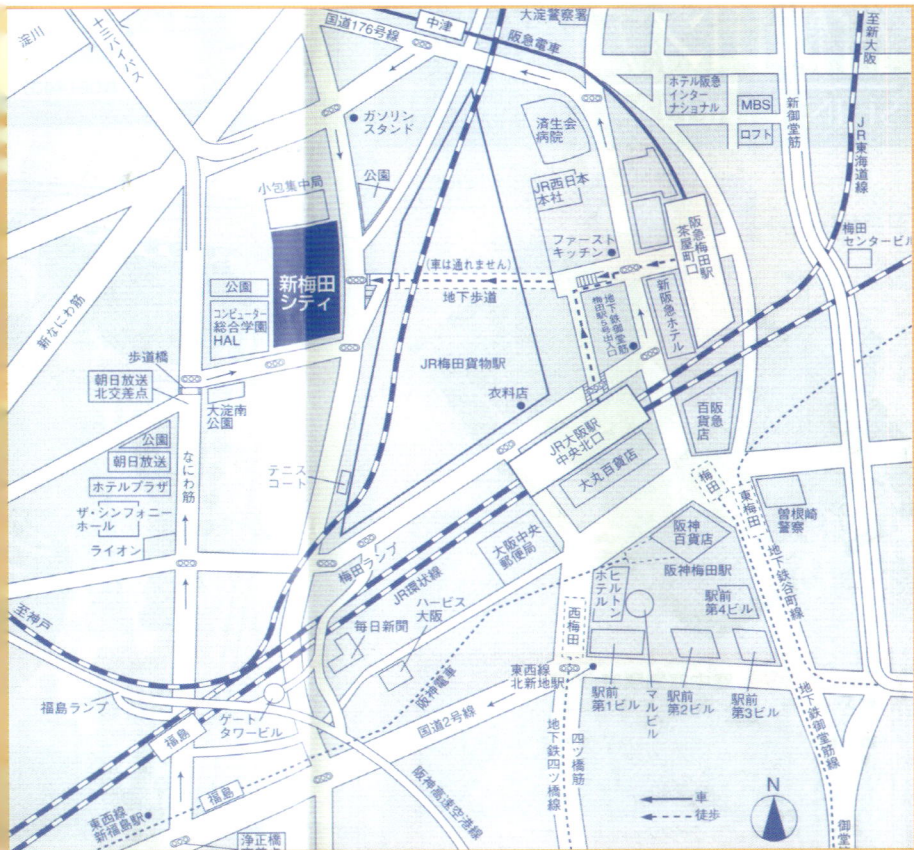

大阪第一飯店 > 大阪城

🕐 10分鐘　🚇 地鐵　¥ 160

　　從第一飯店出來之後，請走回剛剛下車的JR大阪站中央口，然後請買¥160的車票坐JR環狀線到大阪城公園站。

　　上車的時候請注意要搭乘「外回り」的電車，這樣會比較快到大阪城公園站，如果您搭的是「內回り」線的話，會多花一些時間才到。

　　下車後走出車站，馬上可以看到前面有一大片黑色的圓型屋頂，這就是大阪城HALL，可容納1萬6仟人，堪稱是西日本最大的廣場。

環狀線電車（8-9）

大阪城 HALL（8-10）

大阪車站（8-7）

外回指示牌（8-8）

大阪城公園站（8-11）

大阪城公園

🕐 2.5小時　¥ 800

　　大阪城公園(OsaKaJo-KoEn)創建於1583年,為一代將軍豐臣秀吉所建之宏偉莊嚴的建物。豐臣秀吉的豐功偉業、好大喜功盡在一磚一瓦的雕刻中表現得淋漓盡至,巨石的搬運過程也造成後人無限的疑惑,護城河的寬闊更是日本第一。

　　很多人在觀賞日本城堡景點時,都會誤認只有城堡一處才是重點,如果能明白其他地方的典故時,那您就不會覺得光看一座城花費¥600是很貴的代價,就讓我們一起來探索其中的奧秘吧!!

　　另外提醒您,大阪城還提供免費的導遊介紹服務,在10:00-15:30這段期間,您可以透過服務處申請,時間約為半小時左右,但是請注意的是分有3種行程,您只能選擇其中一種而已。分別是(1)大手門行程(2)青屋口行程(3)玉造口行程,當然這項免費的服務也只能由通日語的讀者享用。如果會日文的話,千萬別錯過了這項免費的服務。

大手門

　　於1848年再建,外面是鐵板製成的門板,左右的石垣跟土壁還保有當年的風采。

多聞櫓

　　號稱是最大規模的櫓門遺跡。

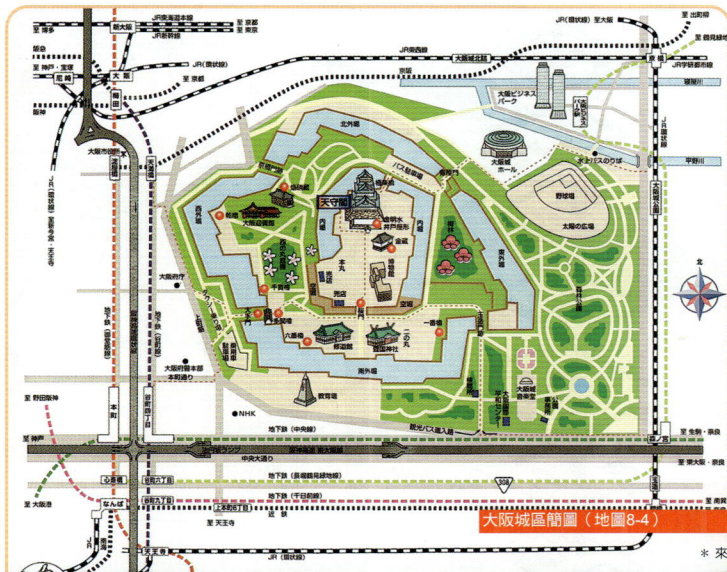

大阪城區簡圖（地圖8-4）

乾櫓

在城內是最古老的2階造櫓，跟千貫櫓同是1620年建造的。

今名水井戶屋形

四根柱子所作成的石井，深度相當地深，並被指定為重要國家文化財產。

西の丸庭園

¥ 200

建於1620年，主要是為了給豐臣秀吉的夫人「北正所」居住用，這是每年賞櫻的好去處。在天守閣以西約64000平方公尺的草地庭園，園內有迎賓館、豐松庵等建築物，春天的時候會有600株的櫻花盛開。

天守閣

¥ 600

天守閣在大阪城區也是一個參觀的重點。斥資70億日幣重新貼上黃金的天守閣在1997年4月重新開放，新的天守閣可搭乘電梯直達閣樓，眺望大阪市內全景，據說可承受7級的地震。

大阪城的象徵物（8-14）

服務處、導遊介紹服務（8-12.13）

購票機（8-15）

在閣內並增闢小劇場，另在各層有各種歷史資料的展出及大阪城各時代的模型，7樓並有豐臣秀吉一生的微縮布景影片，8樓的展望台於夏季時並有機會可以觀賞到大阪市內的夜景。

從閣內的介紹當中，我們得知大阪城的象徵物是一條龍魚，也就是龍頭魚身的吉祥物，據說只要有這個吉祥物在，城堡就可以免於火災，這可能是因為受戰火之苦所想出來的神話吧!?

請特別注意這邊的服務處只接受團體購票，個人購票請利用旁邊的「登閣券」購票機買票，國三以下免費。天守閣開放時間09:00-17:00(夏季9:00-20:30)，休館日12/28-1/1

タイムカプセル

¥ 200

在天守閣的對面有一個「タイムカプセル」(Time Capsule 時空膠囊)，是1970年時萬國博覽會所留下的紀念品，裡面的東西從日常用品到高科技用品都有，預定在五千年後才會開啟，其複製品就放在市立博物館當中。

大阪城（8-16）

Times Capsule（8-17）

大阪城 > 天王寺公園

⏰ 20分鐘　🚇 地鐵　¥ 230

請參照地圖8-4，先走到京橋門遺址的出口，出來以後，您會看到右側有一間「追手門學院」，然後請走前面的天橋過馬路，之後右轉直走到路底後左轉，在您的右前方大樓，就是谷町線「天滿橋」站的入口。

下去以後順著「谷町線」指示牌往地下2樓走，您就可以看到售票機，請購買¥230的車票，在1號月台上車，坐到第5站「天王寺站」後，再換地下鐵御堂筋線，在2、3號月台上車，坐1站到「動物園前」站下車。

下車後請走1、2號出口往天王寺公園方向走，出來以後，請往左轉通過陸橋底下後，往右轉走約5分鐘到路底時，您就可以看到天王寺公園。

追守門學院（8-18）

天滿橋站的入口大樓（8-19）

🔧 大阪小幫手

一出「天王寺站」，敏感的讀者可能會發現，此地與向來乾淨的日本街道大相逕庭，而且空氣中還飄浮著隱隱約約的怪味。這是因為有大批流浪漢聚集在此。他們甚至在人行道上以藍色布篷佔地為居，形成另一種特殊的景象。不過為了安全起見，往天王寺公園的這段路最好盡快通過。

入口（8-20）

御堂筋線（8-21）

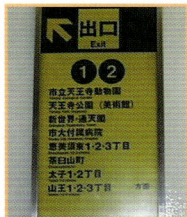
出口指示牌（8-22）

左轉路口（8-23）

公園路口（8-24）

午餐

🕐 40分鐘　¥ 750

在天王寺公園旁有一家餐廳販賣各式簡餐，我們建議您在此享用午餐，今天我們要點的是咖哩牛肉飯（ビーフカレー/Beef KaRe）。

餐廳（8-25）

天王寺公園

🕐 30分鐘　¥ 150

天王寺公園（TenOJi-KoEn）加上住友邸跡跟茶臼山，佔地總面積有25萬平方公尺，裡面的慶澤園是日本式迴遊庭園，置身其中可享受意想不到的靜寂，最適合秋季來此欣賞楓葉，可惜此行正在整修當中，沒有辦法為讀者採集照片。

　　¥150的門票利用購票機即可購得，在門口並有簡介可供索取。如果您對藝術有興趣，建議您可以到美術館看看，憑公園的門票，只要再付¥150即可入內參觀。

開放時間：AM:9:00-17:00，全年無休

門票（8-26）

公園內部（8-27）

天王寺公園 > Festival Gate

🕐 步行15分鐘　¥ 0

　　從美術館前的路往前走會經過天王
寺動物園，由於此園已老舊，筆者不
建議再多花錢來此參觀，因為這裡並
沒有什麼珍禽異獸是台灣沒有的。

　　經過動物園後，您可以在前方看到
SHINSEIKAI(新世界)的入口，這
是大阪市有名的飲食街，歷史悠久，
想要吃高級河豚的人可以來這裡品
嚐。走進入口後，請在第一個小十字
路口往左轉直走到路底，就是
「FESTIVAL GATE」的入口處。
（十字路口很小，請仔細找）

美術館（8-28）

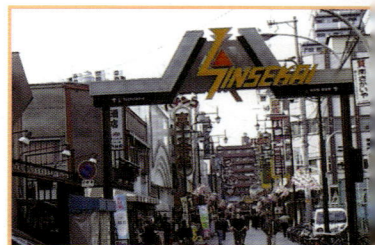

新世界入口（8-29）

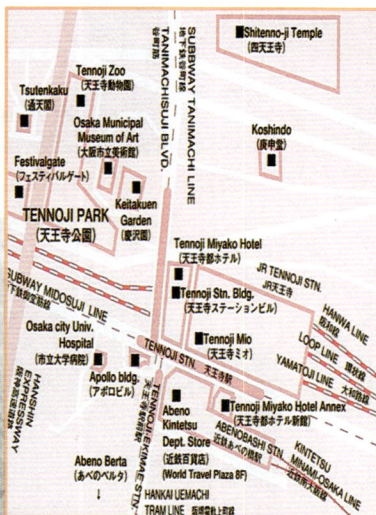

天王寺動物園附近地圖（地圖8-5）

天王寺動物園（8-30）

FESTIVAL GATE

🕐 3小時　　¥ 自定

　　這是1997年7月18日才開幕的大型遊樂場，面積共有23萬平方公尺。七層樓的建築當中集合了遊樂設施、美食和購物廣場，耗資日幣2億元而興建的跨世紀遊樂城，是大阪人必到的最新景點之一。

　　費用並不是一票玩到底的，您可以先到2樓的櫃台先索取簡介(日文)，看看各層有什麼遊樂設施之後，再決定要購買多少門票。在每個遊樂場入口旁都會有一個售票機，上面便會寫購買此項遊樂設施的入場券需多少錢。

　　如果您要玩的設備很多的話，建議您可以購買「超值卡」，也就是¥1,000可玩¥1100、¥3000可玩¥3,400，¥5,000可玩¥5,800的價值。如有同行的人，建議您一次購買¥3,000或¥5,000的超值卡，可以一起使用會比較划算。

　　為避免各位讀者一時迷亂，在此建議幾個FESTIVAL GATE比較有名的遊樂設施。2樓的木馬¥300，3樓的德歐斯之塔¥500(テオスの塔)、4樓的火龍洞窟(エキドナの洞窟)¥500、5樓的雲霄飛車¥700(デルピス.ザ.コースター)，這些都是非常好玩的。

河豚店、Festival Gate 入口處（8-31.32）

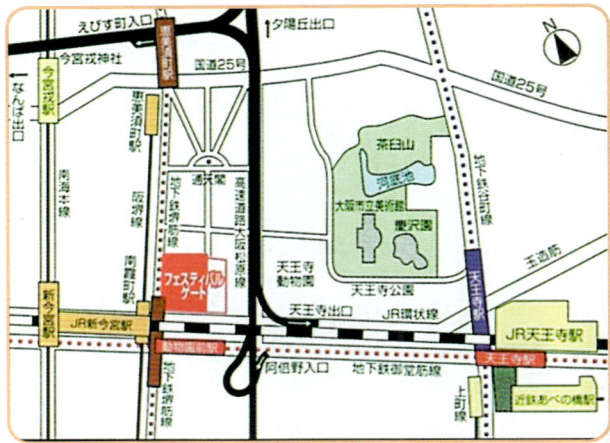

Festuval Gate 附近地圖（地圖8-6）

FESTIVAL GATE→空中庭園展望台

🕐 30分鐘　　✂ 地鐵　　¥ 200

　　FESTIVAL GATE到空中庭園展望台需先坐回JR大阪車站，請先走到FESTIVAL GATE的1樓，您便可以看到有一個地下鐵的指示牌，請順著指示牌方向往前走。看到售票機後購買¥200的車票，上2號月台坐到梅田站。下車以後往JR大阪車站方向走。

　　由於大阪站的出口很多，走到JR大阪站後，請往中央北口方向走出，走出出口之後，在您的右側有一個紅綠燈路口，請過馬路走到對面，再一直往前走到路底，您就會看到有一個地下道，請穿越地下道徒步10分鐘，就會看到 SKY BUILDING空中庭園展望台就在頂樓。

指示牌、JR大阪站方向（8-37.38）

售票機、木馬、火龍洞窟、雲霄飛車（8-33.34.35.36）

中央北口、路口、地下道（8-39.40.41）

空中庭園附近地圖（地圖8-7）

City-Sky Building

🕐 2小時　　¥ 700

　　新梅田CITY-SKY BUILDING 於1993年興建完成，這幢建築物最大的特色就是由2棟40層樓的建築物在第41層樓的地方，以搭橋的方式將2棟大樓連接起來，又稱作空中庭園。空中庭園是360度開放式的展望台，可以隔著玻璃觀賞大阪市的全景，也可以到外面感受一下高空的風力跟壓力。

　　入場券需在3樓購買，您必須先搭乘手扶梯到3樓的購票機買票，一張是¥700，然後再搭直達電梯到頂樓去看風景。

　　開放時間：10:00 - 20:30 ，全年無休。

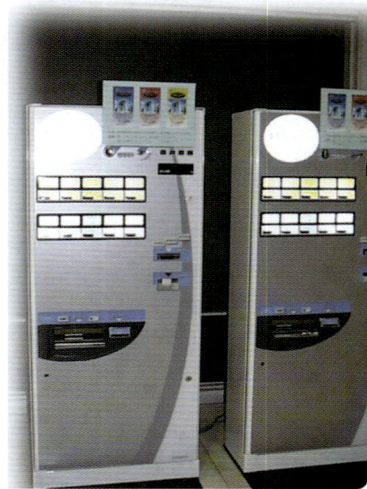
購票機（8-42）

🕐 1小時　¥ 1500

　　請走到SKY BUILDING地下1樓的美食街用餐，全部都是仿照大阪昭和時期的地下美食街，還有昭和時期的理髮店跟抽水幫浦，會讓您有種時光倒流的感覺。

美食街（8-44）

空中庭園（8-43）

夜景（8-45）

去大阪・京都　132

空中展望庭園 > 大阪飯店

🕐 步行20分　　¥ 0

　　請走回剛剛的地下通道，然後走原路回中央北口後，直走穿過ＪＲ車站，出來就可以看到第一飯店，請記得辦理Ｃheck-in的手續並提領行李。如果您有預訂早餐的話，請別忘了跟櫃台人員領取鑰匙跟早餐券。

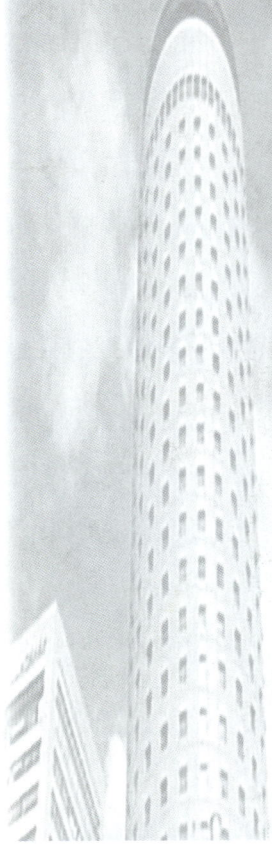

地下道（8-46）

賀鳳凰旅遊榮獲ISO 9001國際品質認證

歡樂繽紛九州行

遊賞美景如畫的荷蘭村、豪斯登堡
體驗驚奇十足的別府溫泉
新鮮有趣的海洋巨蛋
充滿日本傳統氣息的庭園與古蹟

鳳凰旅遊伴您發現九州之美！

鳳凰旅遊
PHOENIX TOURS™

服務專線：(02)2537-8222．2537-8111

台北市長安東路一段25號4.5樓　交觀綜2006

大漢 (02)2581-3535　永華 (02)2523-8151
　　　　交觀甲800　　　　　　　　　　交觀甲940

瑞鳳 (03)3256636　瑞鳳 (03)4225241　瑞鳳 (035)339119
　　交觀甲941　　　　　交觀甲944-03　　　　交觀甲944-02

鳳凰 (04)3210705　鳳凰 (06)2633625　永華 (07)3350017
交觀綜2006-11　　　　交觀綜2006-10　　　　交觀甲940-01

目標大阪

今日行程

第一飯店 ➡ 海遊館 ➡ 水上巴士 ➡
大觀覽車 ➡ 難波 (夜生活)

1. 預定時間：8hr
2. 費用：¥6,630
3. 注意事項： 不想去難波體驗
夜生活的人，可以晚上再搭大觀
覽車欣賞大阪港的夜景。

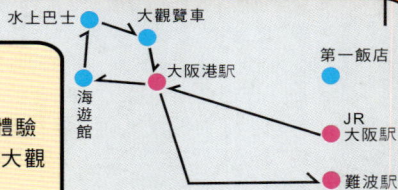

水上巴士　　　大觀覽車

第一飯店

大阪港駅

海遊館

JR
大阪駅

難波駅

大阪第一飯店 > 海遊館

🕐 20分鐘　🚇 地鐵　¥ 260

　　今天的行程比較沒有那麼趕，前3處景點都在同一地區，所以您可以睡晚一點再出發。吃完早餐後，請從飯店走出來到地下2樓，順著地鐵的指示牌方向，我們從梅田車站搭地鐵御堂筋線到本町(HonMaJi)，換中央線電車坐到第5站「大阪港」(OsakaKo)站下車。約需16分的車程。走出剪票口時，請順著指示牌的方向，往右轉直走再左轉下樓，走出出口後步行約5分鐘，看到大觀覽車後的左方路底就是海遊館了。

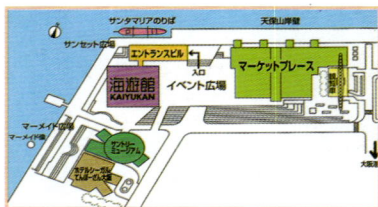

地鐵指示牌（9-5）

海遊館、觀覽車、聖瑪莉亞號位置圖（地圖9-2）

海遊館指示牌（9-6）

飯店前地下道入口（9-4）

海遊館

🕐 3小時　💴 2000

　　海遊館是一座紅藍相間的建築物，購票處在入口剛進去的地方，一般的營業期間門票是￥2,000一張，但是在冬季時節由於旅客比較少，有時會跟聖瑪利亞號一起促銷特惠價。像這次我們去的時候正值冬季，海遊館有推出套裝遊券(サンタマリアと海遊館共通セット券)，參觀海遊館＋乘坐聖瑪莉亞號才￥2,800而已，比平常分開購票的費用省了￥720元。

入口指示（9-8）

　　海遊館是世界最大型的水族館。館內以象徵太平洋九公尺深的大水槽為中心點，真實呈現環太平洋火山帶和沿岸的自然環境及生物，使您體驗地面上無法體會到的海中神秘世界。

入口處（9-9）

海遊館（9-7）

海遊館門票（9-10）

天保山海遊館是一座極具羅曼蒂克設計的水族館，從山谷小溪進而五大洲四大洋的水族生態，加上難得一見的珍奇，令人駐足久久不想離去。

您可以在此看到太平洋系之所有海洋生物，約有580種。還可觀賞到兩隻座頭鯨(全世界最大的生物)、北海道長毛蟹、透明的河豚、深海電鰻、企鵝等。

開放時間：10:00-20:00，休假日：99年6/16,12/15,12/16

海遊館旁邊還有關西地區最大之SHOPPING MALL，可供您在這裡充分的享受休閒與購物的樂趣。

開放時間：11:00-22:00，各商店不定期休。

網址：http://www.kaiyukan.com/

海遊館小幫手

在海遊館裡為了讓遊客欣賞各式各樣的魚類，除了水族箱中有充足的光線，遊客身處之地都是漆黑一片，除非您有高級的攝影器材，否則想用一般相機和魚兒照相恐怕行不通。如果只要拍魚，建議您鏡頭盡量貼在水族箱上，不要開閃光燈，如此便能拍到牠們可愛的身影。

企鵝（9-11）

座頭鯨（9-12）

到聖瑪利亞號

聖瑪利亞號的入口就在海遊館出口的後方，當您從海遊館出來以後，請往下走到1樓，再向前走沒多久，您就可以看到聖瑪利亞號的指示牌。請順著指示牌的方向直走，之後再左轉到售票處去購買門票，白天遊覽票價是￥1,520，11:00-15:00每小時有一班船。

入口指標（9-13）

水上巴士

45分鐘　￥1520

聖瑪利亞號(サンタマリア)為哥倫布發現新大陸時的帆船名，此船約當時船的2倍大，由大阪港搭乘，繞行大阪港一圈要日幣1520圓，白天約需45分鐘，晚上約需2小時。

買完了門票之後，請往右方的地下入口進去，然後您就會看見乘船口。當您要上船的時候，相信一定會看到一位拿著單眼相機的人，正在拚命地對著遊客按快門，不要懷疑是什麼偵探社的，這位是為您拍紀念照的人，請在上船的時候，給他一個準備要出遊的微笑吧。待下船的時候，就可以在港口旁看到您的照片了，如果要買的話，一張是￥1,000。

遊船晚上券￥2800，所需時間120分鐘（19:00出發，需透過旅行社預約）。

營業時間：11:00-17:00(11-1月營業至16:00)

入口指標（9-14）

地下入口（9-15）

聖瑪利亞號（9-16）

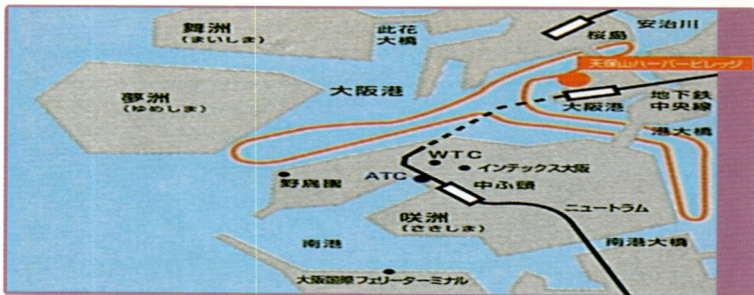

聖瑪利亞號白天航行路線（地圖9-4）

天保山発着コース

ナイトクルーズ

ATC寄港コース ※4～10月の土・日・祝日のみ

聖瑪利亞號晚上航行路線（地圖9-5）

午餐

🕐 45分鐘　¥ 850

　　由於遊船的時間有45分鐘之久，在此建議您在船上用餐，這樣就可以一邊吃東西，一邊看著外面的景色。船上的餐廳有簡單的餐點可供選擇，在此提供您幾項菜單作參考，然後再點個飲料(約¥350)就可以解決一頓午餐。

菜名/飲料	日文念法	中文意思	價位
やきそば	YakiSoBa	炒麵	¥400
カレーライス	KaReRaiSu	咖哩飯	¥500
おでん	ODen	關東煮	¥400

ご自由にお入り下さい

餐廳（9-17）

水上巴士＞大觀覽車

🕐 步行10鐘　　¥ 0

　　下船以後，在港口看看自己的照片照得如何，如果決定要買的話，請跟剛剛那位幫您拍照的人說一下就可以了。

　　接著就往大觀覽車出發了，大觀覽車就位於水上巴士的左方，剛剛來海遊館的途中所看到的大型摩天輪就是大觀覽車。您可以直接穿過海遊館前方的大型購物中心，走出門口後就是觀覽車的售票處(2樓)，請在此購票後上3樓去搭乘這個號稱世界最大的摩天輪。

售票處（9-18）

大觀覽車

🕐 15分鐘　　¥ 700

　　據說這座摩天輪啟用於1997年7月12日，直徑有100公尺，而地上高度為世界第一的112.5公尺高。

　　爬升到上面的時候，可以看到廣闊的大阪港，也就是我們剛剛乘船所繞行的地方，東邊是生駒山脈，西邊是明石海峽大橋，南方就是關西國際空港，而且在車廂內有廣播系統會以英日文告訴您景點的位置，繞行一圈需要花費15分鐘的時間。

　　由於大觀覽車的營業時間非常地晚，如果您想要看看大阪港的夜景，建議您可以逛完旁邊的SHOPPING MALL之後，於傍晚時節再上來看，那又是另一種特色。

大觀覽車入口（9-19）

窗外景色（9-20）

開放時間：10:00 － 22:00

大觀覽車 > 夜生活

🕐 20分鐘　　🚃 JR　　¥ 270

　　從大觀覽車下來走出出口後，您會經過今早所走過的十字路口，過馬路直走到路底就是JR大阪港站，晚上為我們將為好奇寶寶您安排不一樣的大阪夜生活。

　　進了車站以後請購買¥270的車票，然後在1號月台坐車，到「本町」站換四ツ橋線，坐2站到「難波」(NanBa)站下車。

十字路口（9-21）

夜生活

🕐 2小時　　¥ 自定

　　夜幕下的大阪一點也不寂寞，要來點新鮮刺激的，到心齋橋(ShiiZaiBaShi)附近走走。心齋橋畔知名的道頓堀川緩緩流過，大阪人又把這座橋稱為「邂逅橋」，是男女約會的好地方。不過近幾年牛郎俱樂部(KuRaBu)大行其道，整座橋都是身著黑色制服的年輕小夥子，只要有落單或二三人同行的女子，就會要妳同他共進俱樂部！當然，拉客的年輕女孩也不少。

　　不管您搭乘的是JR還是近鐵線、地下鐵，只要在難波站下，出了車站就會置身在中央區心齋橋附近。夜生活商店營業時間多半為12：00-24：00，如果您在晚上7點以前去的話，還會打點折扣。一般而言，如果需要特別服務的話，30分鐘是¥10,000，45分鐘為¥16,000。

JR大阪港站（9-22）

1號月台（9-23）

夜遊小幫手

在難波找可以過夜生活的店很容易，從車站出來，抬頭看看您身旁的大樓，如果看到一些怪怪的招牌，例如「颱風」、「小姐」之類的，有的是俱樂部，有的是PUB或酒館。

俱樂部（9-24）

飲食街（9-25）

俱樂部（9-26）

晚餐

🕐 30分鐘　　¥ 800

　　難波站附近有很多飲食店，您可以隨便看看要吃什麼，今天我們要吃的是「そば定食(SoBa-TeiShoKu)」（蕎麥麵定食），一份是¥800。

蕎麥麵定食（9-27）

夜生活 > 大阪第一飯店

🕐 20分鐘　　🚇 地鐵　　¥ 230

　　請從「難波」站搭乘御堂筋線，坐4站到「梅田」站下車，車資是¥230元。下車以後，請往JR大阪車站的方向前進，然後再走回飯店，在此提供您認路的小秘訣，第一飯店又有マルビル(MaRuBiRu)之稱，如果你有看到這樣的日文，就表示可以到達大阪第一飯店的位置。

Set-10 洗溫泉喔

今 日 行 程

第一飯店 ➡ 箕面溫泉飯店 ➡ 溫泉區景點

箕面溫泉 ●　　　阪急梅田駅 ●　←　● 第一飯店
　　　　　　　　　　　　　　　　　JR
　　　　　　　　　　　　　　　　● 大阪駅
箕　　　　　　　　　　　　↓
面
溫　　　　　　　　　　　● 換車處
泉
飯　　　　● 　　　●
店　　　箕面駅　石橋駅

1. 預定時間：8小時
2. 費用：￥4,885
3. 注意事項：坐上電梯時別忘了
　　　　　　　拿收據

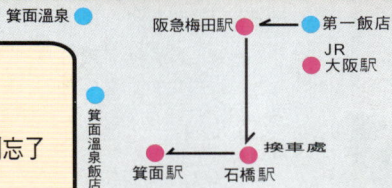

來去洗溫泉！！！

來到日本沒有泡一下溫泉，感覺好像沒有來過一樣，雖然關西附近沒有如箱根、雲仙那麼大的溫泉區，但是要找幾處好的溫泉小景點，還是相當容易的。今天我們要為您介紹的溫泉區具有世外桃源的感覺。

據說箕面市是至今約6000年前就開始形成村莊，所以現在還存留彌生時代的銅鐸，還有以佛教靈地著稱的勝尾寺及箕面寺，因此結合了歷史與宗教文化的箕面溫泉在日本非常有名。

露天浴池（10-1）

大阪第一飯店＞箕面溫泉

🕐 30分鐘　🚃 電車　¥ 260

由於明晚我們還會回到大阪飯店來住宿，在此建議您將主要行李寄放在大阪的飯店，只要將換洗衣物帶走就可以了。

寄放行李的動作很簡單，您可以參考行程8的說法，或者利用後面的救命符轉交櫃台人員。屆時服務人員就會交給您一個行李牌，等回來的時候，您就可以憑此牌領回自己的行李。

前往箕面溫泉需搭阪急電車，從飯店到阪急車站的走法有2種方式，您可以選擇從地下街順著指示牌的方向前往阪急電車；也可以從飯店大門出來後左轉，到第二個紅綠燈口右轉過

地下街到阪急電車入口的指示牌（10-2）

馬路，在路口的另一端上天橋，您應該可以在左方看到阪急百貨的招牌，我們就是要在這裡搭車。

　　走上天橋之後，請往左前方的樓梯前進，您將可以在右方看到一個入口，走進入口後請從左方的樓梯上2樓，並在右方的購票機購買至箕面的車票，票價是￥260。

　　從路線圖的指示當中，我們得知必須在4號月台搭寶塚線電車，在石橋站換車至箕面站，車程大約需15分

鐘。下車之後，請從地下道走到對面的4號月台，我們要在這裡換箕面線電車前往箕面溫泉，大約每隔10-15分鐘會有一班車。

　　坐上車約5分鐘的車程就可以到達終點站「箕面車站」，下車之後往前走，出了剪票口之後直走車站前的那條路約5分鐘，您就可以到達箕面溫泉飯店。對！沒錯！就是前面您所看到有透明電梯的位置。

購票機（10-6）

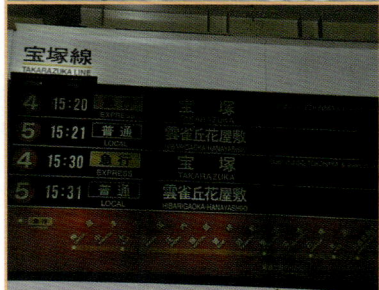
天橋到阪急電車的第二種走法（10-4）

月台（10-7）

往石橋方向的阪急電車（10-8）

石橋到箕面的電車·（10-11）

石橋月台（10-9）

阪急箕面站（10-12）

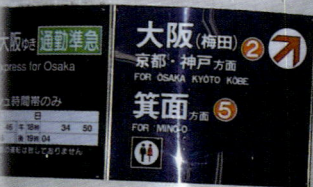
往箕面電車指示牌（10-10）

箕面温泉ホテル（10-13撮）

箕面溫泉ホテル (MiNoO-OnSen Hotel)

　　箕面溫泉是大阪市郊的溫泉景點，離大阪市中心只有20分鐘的車程，飯店共有206個房間，和室只有42間，大多數都是西式的房間，所以在預訂房間的時候，千萬要記得請旅行社預訂和室房，這樣才會有去洗溫泉的感受。

　　據說箕面溫泉飯店是明治時代一位公爵的別墅所改建而成的，並於昭和26年開業至今，歷史十分悠久。而這裡的溫泉能治療神經痛、慢性關節酸痛、痛風及慢性婦女病。

　　另外，這家飯店比較特別的地方就是，任何人坐電梯上去都要付¥100的搭乘費用，除非您在飯店內消費¥2,500以上，就可以拿收據折抵消費。所以您記得一定要在通過投幣機的時候，在機器的後面拿一張收據，待消費時折抵¥100用。

　　不過要特別注意的是，如果您是由台灣旅行社代為訂房，而又沒有在飯店內的餐廳或其他設施有消費¥2,500以上，這¥100是不會退回的。

箕面飯店電梯（10-14）

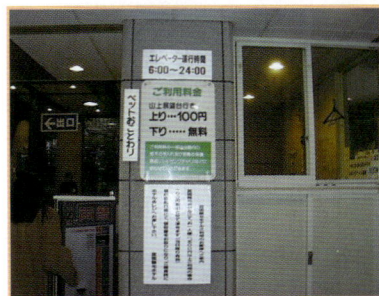

電梯收費指示牌（10-15）

午餐

🕐 30分鐘　¥ 600

　　由於到飯店的時間還早，如果您的隨身行李不是很多，我們建議您直接進箕面公園先觀賞一下風景，免得多浪費1次不必要的¥100電梯搭乘費。在進公園之前，建議您在箕面車站前的餐飲店享用午餐，免得等下走路會餓得沒力氣。

午餐（10-6）

箕面溫泉公園

🕐 3小時　　¥ 0

　　箕面溫泉公園就在飯店的右側(從車站前方向來看)，當您面對電梯入口的時候，請往右側小路前進，您就會看見公園的入口處。

　　箕面公園沿路的風景相當美麗，據說秋季是最美麗的季節，沿途的楓葉景致令人流連忘返，而這裡的名產就是楓葉天婦羅(もみじ天ぷら－MoMiJi-TenBuRa)，如果您在秋季時節到此一遊的話，別忘了吃吃看。

　　整個公園從車站走來約有2.8公里，單程路程約需40分鐘的時間，沿途並沒有陡峭的坡道，不管老少都很適合走。

　　另外，箕面公園還有很多猴子，在入口的告示牌說明為了保護猴子的生態平衡，希望旅客不要餵食，以免破壞猴子求生的本能。在出發前我也曾聽說過可能會被滿山猴子嚇到，但是沿路走來我們並沒有看到一隻猴子，反而有點失望。

　　沿途的景致令人覺得彷彿置身於世外桃源，1月來時，到處都可以見到茶花的蹤跡。除了清新的空氣，這裡跟台灣風景區最大的不同處，在於沒有吵雜的人聲或攤販的干擾，建議您第二天早上起個大早，到林中享受安靜清新的晨光，然後再回旅館泡一次溫泉，整個人將彷如脫胎換骨一般地神清氣爽。

入口處（10-17）

楓葉景致（10-18）

猴子（10-19）

箕面瀑布

　　高約33公尺的箕面瀑布是箕面的象徵，大雨過後聆聽33公尺高落下的瀑布聲，然後再看著美麗的楓葉，可以感受到力與美的感覺。

瀧安寺(RyoAnJi)

　　龍安寺於658年由役小角所創建，是日本修道的大本山，而且是日本最初祭祀弁財天的地方。在秋季的時候，會有「楓葉祭」的活動，您可以看到楓葉跟寺內紅色的瑞雲橋相互映襯的美景。

箕面公園（10-20）

瑞雲橋（10-21）

瀑布（10-22）

回箕面溫泉飯店

🕐 步行40分鐘　　¥ 270

　　回程請循著來時的路線，我們準備要回飯店洗溫泉，以去除連日來的疲累。走回飯店時，投完¥100後，別忘了在投幣機後拿1張收據，如果晚上有任何消費且滿¥2,500以上的話，就可以抵用¥100的消費。坐上電梯以後直登頂樓，到了以後請順著指示牌往左轉就可以看到飯店的大門，進去的時候並不會馬上看到櫃台，必須再順著樓梯往下走才會看到飯店的大廳與櫃台。

　　辦理住房手續的動作，應該不必再多說一次吧?!就是將旅行社提供的住宿券給櫃台人員，再填寫住房卡後，服務人員就會將鑰匙及餐券交給您。一般而言，預訂溫泉旅館時，建議您訂2餐1宿，也就是可以吃早、晚餐加上1夜住宿的費用。表面上看來是比較貴，但是比起到時再分開訂划算多了。

　　這次筆者在出發前，本來也是要求2餐1夜的，但可能是跟旅行社人員溝通有些問題的關係，到了當地才發現原來只有附贈早餐，所以在此我們會教您如何在溫泉旅館用晚餐。

　　一切不必再多說了，就讓我們帶著各位去洗溫泉放鬆心情了。箕面飯店的溫泉設於頂樓，視野相當地遼闊，分有室內跟露天浴池，想要接近大自然的，大可到露天浴池去洗，不用擔心會有人看，因為箕面飯店已經位於

電梯指示牌（10-23）

電梯頂樓（10-24）

飯店入口（10-25）

山上，而溫泉池又在樓頂，對面想要
有人看都很難。

　　到房間放下行李之後，您可以換上
房內的和服，然後請到浴室拿出早已
準備好的盥洗用具包，並帶一條小毛
巾到頂樓的溫泉池去泡湯。

　　筆者忍不住要在這裡說明一下，有
很多朋友都很喜歡問我，為什麼洗溫
泉要叫泡湯，我們又不是味噌，當然
不需要泡成味噌湯，「湯」在日本是
熱水的意思，故「泡湯」可適用於洗
溫泉跟洗澡時使用。

　　日本大多數的溫泉都是男女分開使
用，而男女共浴的通常只有老先生老
太太會去而已，想要看美麗的裸女那
是很難的。到了飯店頂樓，果不其然
是分為男湯跟女湯兩邊，在入口處取
一條大浴巾後，就可以進入澡堂了。
現在開始，就讓我們來為您稍微說明
一下泡湯的幾項基本原則。千萬不要
讓日本人認為我們台灣人不懂何為泡
湯文化，還要寫大大的中文字在門口
說明。

箕面溫泉飯店（10-26）

西式套房（10-27）

日式套房（10-28）

溫泉入口（10-29）

◆準備物品：小毛巾、綿羊油或嬰兒油之類的產品。

◆進入溫泉池前先將身體、頭髮洗淨，千萬不要抹著肥皂就跳進去。

◆不要將大毛巾拿進浴池內，大毛巾是你出來以後擦乾身體用的。

◆浸泡溫泉時請用小毛巾將頭髮包起來，不要直接浸在池內。

◆入浴次數，以一天二次到三次為宜，一次入浴時間以三十分鐘最適當。建議晚餐前、睡覺前及隔天早餐前三次為最佳次數。

◆猛然泡入熱的溫泉，很容易引起腦部貧血，應避免一下子便沒入溫泉裡，最好先坐在池邊，在身上潑些熱水，等到全身暖熱了以後，再慢慢地浸入泉水中。

另外，在溫泉池都會附有三溫暖室，您可以抹些綿羊油之類的護膚用品，以免身體太過乾澀。

洗完溫泉之後，您可以直接穿著浴衣到1樓的日式料理餐廳吃飯，以彌補您剛剛洗溫泉所消耗的熱量。

室內浴池（10-30）

晚餐

🕐 2小時　¥ 4025

這裡的點餐大致分為三種價格，有¥3,500、¥5,000、¥8,000，當然愈貴份量愈多了，要特別注意的是這裡除了5％的稅金之外，還要再加一成服務費。而我們在此為您介紹的是¥3,500價位的日式料理。

點餐時最簡單的說法就是「これに

晚餐（10-31）

します」(KoRe-Ni-ShiMaSu)，中文意思就是「我要這個」，意思夠簡單明瞭了吧！

入睡以前

　　晚餐過後可以到飯店附近走走，在一樓的大廳也有各式電動玩具可以玩，另外還設有特產店，可以買些名產回去分享親友。

　　另外，在此建議您在入睡之前再去泡一次溫泉，溫泉多具有消除疲勞、促進身體健康的功效，難得來一次溫泉飯店，能利用的就不要客氣。這家飯店的溫泉池開放到晚上12點為止，據筆者的經驗，其他的溫泉旅館也多半是開放到午夜時段。洗完澡後就可以好好地睡一場覺了。

特產店（10-32）

飯店房間（10-33）

LOOK IT

U Don't Know Me

I'm A Designer !

cis
dm
box
business
card

studio point

CIS企業識別 包裝設計 平面視覺傳達
台北縣中和市華新街143巷106弄22號6樓
02-29487635 , 0939-518992
system7@ms27.hinet.net

今日行程

箕面溫泉飯店 ➡ 大阪（梅田、難波、船場、美國村、日本橋）Shopping

1. 預定時間：8.5小時
2. 費用：￥2,890＋購物費用
3. 注意事項：購物最好安排在最後一天的行程中，以免行李過多。

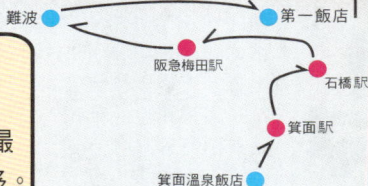

難波　第一飯店
阪急梅田駅
石橋駅
箕面駅
箕面溫泉飯店

箕面溫泉 > 梅田車站

🕐 20分鐘　🚃 電車　💴 260

　　由於行程10為您安排的是2天1夜的溫泉之旅，在第2天早上我們會先在飯店吃過早餐之後，才從箕面溫泉出發回到大阪。箕面飯店的早餐是屬於自助式的和式+西式早餐。

　　要坐回大阪的車，請走回昨天的車站，在車站外的購票機購買￥260的車票後，通過剪票口在1號月台準備上車，上車以後請坐到終點站「石橋」站，再換車至「梅田」站。詳細走法請參照行程10的部份。

　　今天我們要為您介紹的是大阪市的購物，大阪有一句話「北有梅田、南有難波」，北邊的梅田是以梅田、大阪車站為中心，附近有許多百貨公司及地下商店街，例如阪急百貨，是代表時髦流行的一區；而南邊的難波則是娛樂區，代表日本較傳統的一區，其間有通天閣的高塔，道頓崛的美食，難波地下街也是日本首座的地下街。

　　現在就讓我們為您分門別類地來介紹。

早餐會場（11-1）

阪急箕面站（11-2）

1號月台（11-3）

阪急梅田站（11-4）

購物時間

⏰ 6小時　　¥ 自定

　　購物時間：預定6小時，商品：服飾及流行用品。

梅田（うめだ － UmeDa）

　　阪急三番街是日本最大的地下街，就位於阪急百貨下面，也就是阪急車站的地下街，而梅田地下街為大阪地區最集中的購物商場。從阪急梅田站下車以後往地下一樓走，就會走到梅田地下街，大阪的商業精華區域就在這一帶，您可以從地圖很清楚地看出。梅田區地上的建築物大致分為大阪驛前第一ビル到第四ビル為止。ビル（BiRu）就是大樓的意思，而我們住的飯店就是マルビル圓型大樓，不管您在地下街怎麼找，您只要依循第一ビル或マルビル的指示方向，就可以到達第一飯店。

　　除了阪急三番街以外，大阪車站前還有ダイヤモンド地下街（鑽石地下街），是1994年10月12日開放的。這座嶄新的地下街，四通八達連接第1到第4的大阪車站前大樓，又稱為「ディアモール大阪」。最大的特色是在地下還可以感受到地上的光線，真是一點都沒有地下街的感覺，筆者也忍不住為日本人的細心與努力而感動。

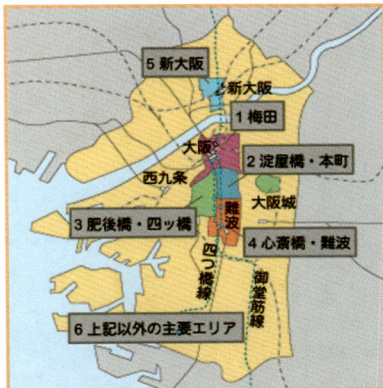

購物區分佈簡圖（地圖11-2）

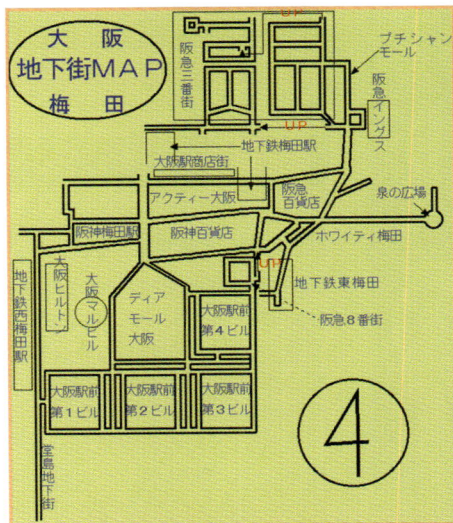

梅田地圖（地圖11-3）

鑽石地下街（11-5）

大阪小幫手

　　地下街太大，逛得分不清東南西北怎麼辦？建議您採左去右回的方式掃街，這樣也符合日本人靠左走的習慣；如果真的逛得太高興，不知身在何方，乾脆先找個出口回到地面上，找找自己住的飯店在哪個方向，這樣也不失為一個方法。

百貨商場（11-6）

阪急百貨（11-7）

梅田＞心齋橋

🕐 10分鐘　🚇 地鐵　¥ 230

　　看完充滿流行風味的梅田地下街及百貨公司之後，您可以來號稱大批發集散地的「心齋橋」，心齋橋站的地下街也有相當多便宜的流行飾品，但是沒有梅田地下街那麼多的名牌。

　　從梅田可搭地鐵御堂筋線跟四ツ橋線到「心齋橋驛站」，車資是¥230，只要您搭乘往なんば(難波)方向的車子都可以到達心齋橋。

往御堂筋線指標（11-7）

往難波方向指標（11-8）

心齋橋（11-9）

心齋橋站（11-10）

心齋橋、船場

　　這個商區從心齋橋筋一直通到井池筋，以及中央大道一帶，共有將近1500間賣衣服的大賣場，是大阪市內有名的紡織品批發市場，有很多跑單幫的人會到這裡來批發衣服，大概可以拿到市價的六折，但是有些商店只限會員進入，一般觀光客無法進去。另外有些便宜的衣物是MADE IN CHINA的，如果不喜歡的話，可要特別注意衣服的標示。

　　據說一般可以接受外國人的商店有萬榮、寺內、江棉、丸光、COOD LIFE等。

心齋橋筋（11-11）

　　註：船場在本町站，只要從心齋橋逛起，就會走到本町站。

心齋橋附近地圖（地圖11-5）

心齋橋，美國村位置圖（地圖11-6）

アメ村(美國村)

　　在此您可欣賞到美麗的風景，這裡是南區最富有活力的地區，可以在此看到70年代美國風的商品，最具代表性的是大樓上豎立的自由女神像。每到星期六，在附近的三角公園還會舉辦各種熱鬧的活動。交通方式：地鐵御堂筋線「心齋橋」站下。

難波指標（11-12）

心齋橋 > 難波

🕐 10分鐘　　🚇 地鐵　　¥ 200

　　如果您不想要買太多東西或名牌衣飾，也可以來看看傳統的難波，難波所販賣的都是便宜的衣物，建議您來難波選購比較不會心疼荷包大失血。

　　從心齋橋坐御筋堂線到難波站，車資是¥200，下車以後您就可以看到號稱日本首座的地下街「なんなんタウン」（NanNanTown）。

難波（11-13）

難波

南大阪以難波車站以北的繁華街道為商業區，一向有「美食者的天堂」之稱，大街小巷林立著無數的餐館和小吃，到了晚上更是熱鬧。以南海難波車站為中心的難波CITY商場也可以讓您走上半天。

如果您想要買些禮品回去給朋友家人的話，在此提供幾項大阪名產供各位參考。

算盤丸子(そろばんたんこ SoRoBanTanKo)：大阪素有商人之町名稱，粉紅色丸子的算盤正可以代表大阪的文化特色，買一個點心回去，順便跟朋友說說這個名稱的典故?!

電氣用品也是不錯的選擇！接下來我們就要為您介紹大阪的電器街。

難波（11-14）

算盤丸子（11-15）

難波（11-16）

難波（11-17）

難波 > 日本橋

🕐 10分鐘　🚇 地鐵　¥ 200

　　除了東京的「秋葉原」之外，大阪的日本橋也算得上大宗集散地。參考很多書上的說明都是要在「日本橋」站下車，而據筆者親自走訪的結果，如果您的目的地是「電氣街」的話，最好是在「惠美須町」（えびす町-EbiSuTyo)下車。

惠美須町（11-18）

日本橋（11-19）

日本橋（11-20）

日本橋（11-21）

でんでんタウン

從惠美須町站一走出來就可以馬上看到整條的電氣用品街でんでんタウン(DenDenTown)，想要買便宜的電氣產品及電腦用品，來這裡就沒有錯了。在此附上地圖供您參考。

午餐、晚餐

🕐 1.5小時　￥ 2000

由於每個人的逛街重點不同，所會花費的時間也不一樣，所以此篇不為您特別介紹在哪裡享用餐點，只大概評估一下用餐費用及時間。

日本橋＞大阪第一飯店

🕐 15分鐘　🚇 地鐵　￥ 230

從「惠美須町」站坐御堂筋線回「梅田站」，車程須10分鐘左右，中間不需換車，您只需要在往梅田方向的月台上車就可以了。

坐到梅田站以後，再依指示牌方向走到マルビル，也就是大阪第一飯店的地方，然後再走到1樓就是飯店的入口了。回來時別忘了辦理住房手續及拿回您原本寄放在櫃台的行李。

回房間以後，在睡覺之前別忘了先整理好行李，並且確認一下明天要到

でんでんタウン（11-22）

惠美須町（11-23）

月台指示牌（11-24）

機場的車資及機場稅是否足夠，如果您不小心都花完的話，在此提供您一個小小的秘方，那就是明天去ＪＲ「綠の窗口」用信用卡購買車票，到機場時也請在4樓的櫃台用信用卡購買機場稅就行了。但是筆者並不建議您這樣做，因為用信用卡買車票跟機場稅，對語言不通的人是非常不方便的。

　　說了這麼多，您都整理好了嗎？？別忘了在睡前確認一下明天要搭什麼車去機場，也別忘了要看一下時刻表，一切都確認無誤之後，就可以準備明天回到可愛的家。

JR關空特急(大阪→關西空港)班次從6:18至20:46每30分鐘一班車。

飯店房間（11-25）

なんば

0 　100m
1：8,000

日本橋電器街地圖（地圖11-7）

相想的璧美

口做感元

studio point

CIS企業識別 包裝設計 平面視覺傳達

台北縣中和市華新街143巷106弄22號6樓

02-29487635，0939-518992

system7@ms27.hinet.net

回到台北

大阪飯店 ➡ 關西空港 ➡ 台北

今 日 行 程

1. 預定時間：5小時
2. 費用：¥3,810
3. 注意事項：請在起飛時刻前2
   小時半出發！

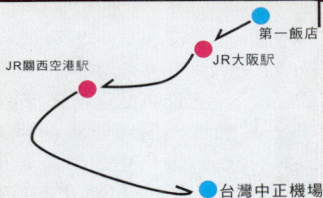

第一飯店

JR大阪駅

JR關西空港駅

台灣中正機場

大阪第一飯店 > 關西空港

🕐 20分鐘　　🚃 JR　　¥ 1160

　　從大阪飯店到關西空港的交通方式有很多種，由於我們所居住的第一飯店離JR大阪車站比較近的緣故，因此以介紹搭乘JR方式為主。

　　今天我們要提著購物的成果回去可愛的家，從飯店正門出來以後右轉，直走沒多久，就會看到「JR大阪車站」的中央北口。

　　走進車站以後，請到左側的售票機購買至關西空港的車票，車資是¥1,160。在此要為各位特別解釋一下，¥1,160的車票是可以搭乘JR環狀線內回リ的車子到關西空港，車程是65分鐘。如果您要搭乘關空特急的話，車資是¥2,980，車程是45分鐘。您一定會覺得很不可思議吧！才差20分鐘的車程，價位就相差2倍以上，所以筆者在此奉勸各位，請務必於起飛時間前2小時半從大阪車站出發。

JR大阪車站（12-1）

JR大阪中央口（12-2）

JR往關西空港的路線圖（地圖12-2）

註：關空特急(大阪→關西空港)班次從6:18至20:46每30分鐘一班車。

請注意要在有往「關西空港」，也就是「內回り環狀線」字樣的月台搭乘車子，由於環狀線的班次很多，您在進入剪票口之前，請先注意幾點幾分的班次是往關西空港的，因為半小時才一班車，錯過了就要等很久。

關西空港

在JR關西空港下車以後，請往樓上走出剪票口，順著行程1來時的路往回走進關西空港2樓的大門。國際班機是在4樓辦理check-in，請將行李提上4樓尋找航空公司櫃台。

在此為您大致介紹一下關西空港的各樓層設施。1樓是國際班機入境的地方；2樓是國內班機辦理登機手續的樓層；而如果您肚子餓的話，2樓跟3樓都有餐廳可以吃點東西，順便還可以逛一逛。一旦進了海關就沒有什麼東西可以吃了。

環狀線指示牌（12-3）

內回り環狀線的月台（12-4）

各樓層指標（12-6）

機場指標（12-5）

班次的指示牌（12-7）

而4樓也就是我們要回國辦理登機手續的地方。就讓我們告訴您該如何辦理登機手續及通關事宜。

檢驗行李

進去航空公司櫃台前，請先將行李通過X光機檢驗。(不包括手提行李)

X光機檢驗（12-8）

辦理登機手續

行李驗過之後，請準備好護照跟機票辦理登機手續，並將需隨機的行李放在櫃台旁的秤重計交由櫃台人員幫您貼好標示貼紙後送出。基本上回程的時候航空公司所能允許您不收費的重量有時可達25公斤，經常出國的人應該會知道，航空公司酌收超重費時，有時是可以商量的，所以雖然重量限制是20公斤，有時候稍微有點超重也是無所謂的。如果您怕行李遺失的話，最好先貼上個人資料的貼紙或標籤。

如果您想要坐在窗戶旁，可以跟櫃台人員說明您的需要，窗戶旁邊的說法是「窗側-MaDoGaWa」，這樣服務人員就會明白您的需求。

劃過位之後，別忘了一定要拿回3樣東西，那就是您的護照、機票跟搭乘券(ToJoKen -登機證)，拿了這3項東西之後，您就可以準備到2樓海關處，辦理通關及登機。

登機手續（12-9）

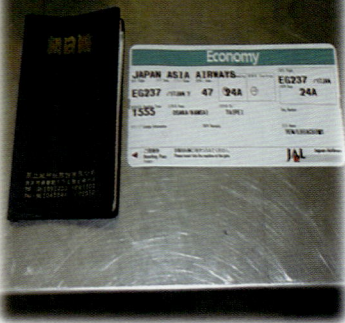
護照及登機證（12-10）

購買機場稅

¥ 成人2650，小孩1300

　　辦完登機手續以後，請往前走，您就可以看到購買機場稅的售票機，12歲以上的大人需要2650圓日幣，小孩需要1300圓日幣，千萬不要忘了準備這部份的錢。

通關

　　買完機場稅以後，請拿著機場稅證明往旁邊的檢驗關口進去，您只要像通過驗票口一樣，將機場稅證明放入驗票機內就行了。拿回您的機場稅證明之後，請將隨身行李放進x光檢驗機，檢查一下有沒有金屬物品或危險物品。

　　檢查完之後請往下走，您會看到海關櫃台，請準備好護照跟簽證讓海關人員檢查。還有如果您來時所填的外國人入境登記的回程聯掉了的話，別忘了要在這裡拿一份再重填一次。

逛逛免稅商店

　　可能是租金太高的關係，關西空港的免稅商店竟然少得可憐，比中正機場的還要少。不過相信您的荷包在經過十幾天來的壓榨後，已經所剩無幾，免稅商店就當作打發時間的去處好了。

售票機（12-11）

交付機場稅（12-12）

準備登機

　由於關西空港的範圍真的很大，登機口有51個之多，機場內並提供WING SHUTTLE（空港內電車）供您搭乘至各登機口，所以請注意自己的登機時間與登機口號碼，並依指示牌方向前往要搭乘的登機口。

另類走法

(1) 南海電車
　　南海電車是專門往關西空港的私鐵，您可以先搭乘地鐵到難波車站以後，再搭南海電車特急ラピート往關西空港，車資是￥1,400，車程是33分鐘。
(2) 利木津巴士
　　您可以在阪神跟希爾頓飯店前搭乘往關西空港的利木津巴士，車票必須要到該飯店的櫃台購買，車資為￥1,300，約需65分鐘的車程。
(3) 計程車
　　如果您覺得提一堆行李回去太辛苦，又有人可以分擔車資時，您可以搭計程車去空港。從大阪市內搭到關西空港，車資約需￥14,400，需花費40分鐘的車程。

免稅商店（12-13）

閘口指示牌（12-15）

閘口指示牌（12-14）

空港電車指示牌（12-16）

回到可愛的家

自定　　¥ 自定

　　待飛機到達中正機場之後，就是我們該準備收拾玩心和帶著美好的回憶回家的時候，回程機票如果是訂到高雄的話，您就必須在中正機場辦理國內轉機的動作，您不必擔心不知要在何處轉機，機上的服務人員在您下飛機之前就會以廣播告知該如何辦理，如果您還是不清楚的話，在出飛機口時，通常也會有一位空服人員在出口的地方發轉機證明，您可以向服務人員詢問要在何處轉機。

　　如果您可愛的家是在台中以北的話，相信您應該是出關之後搭車回去，在出海關之前要請您先確認以下事項，並照以下的順序完成回國手續：

1. 準備護照供海關人員檢驗
2. 到1樓航空公司行李轉盤提領自己的行李
3. 確認已填完海關申報書
4. 檢查隨身行李有無需要報稅的物品

　　一般旅客出國多半都會特別注意自己購買的物品，回台是否需要課稅，如果您所購買的物品剛巧符合需要申報的資格，就請您走向需申報的櫃台。如果沒有的話，就請走向一般的櫃台。

　　完成以上手續之後，您就可以準備搭車回您溫暖可愛的家了。

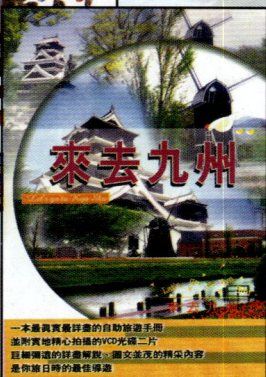

救 命 符 (中文)

請給我到_____的車票_____張

(用於在みどりの窗口購買JR長程
車票時使用)

請問這班車可以到_____嗎?

(提供給怕搭錯車的人使用)

◆ 我要指定席的位子
◆ 我要自由席的位子
◆ 我要禁煙席的位子
◆ 我要抽煙席的位子
(用於座位有指定要求時使用,請將您
的需求項目打V,並交給JR的櫃台
人員)

對不起,請問綠の窗口在哪裡呢?

(提供給進了車站,還找不到地
方買JR車票的人使用)

到_____要多少錢?

(在JR購票或坐公車時都可以詢問)

到____站的時候,請叫我下車。

(用於搭公車怕坐過站時,請司
機通知下車時使用)

可沿線剪下

この電車(車)は_____行ですか?

_____までの切符を_____枚下さい。

すみませんが、みどりの窓口はどこですか?

◆ 指定席をおねがいします。
◆ 自由席をおねがいします。
◆ 禁煙席をおねがいします。
◆ 喫煙席をおねがいします。

_____についたら 知らせてください。

_____まで いくらですか?

可沿線剪下

救 命 符 （中文）

我要坐到_____。

(用於坐計程車時使用)

◆ 我要買的是_____班次的車票。

◆ 請給我最近班次的車票。

可以用信用卡付款嗎?

(用於購買JR車票或住宿詢問付款是否可以用信用卡時)

我要坐到關西空港。

(用於行程12時,想要坐計程車去機場)

我想要到_____飯店,請告訴我在哪個方向好嗎?

(不懂日文的人,最好自備紙筆讓別人畫,就不必一直問)

坐這班巴士可不可以到_____?

可沿線剪下

◆ ＿＿＿便の切符をお願します

◆ 一番近い便の切符をお願します。

＿＿＿＿までおねがします。

關西空港へまわってください

支はらいは カード でいいですか?

このバスは＿＿＿＿へ行けますか?

すみませんが、＿＿＿＿ホテルはどのへんですか?

可沿線剪下

飯 店 用

請給我早餐券。

(當您發現櫃台人員忘記給您早餐券時使用)

請_____點時叫我起床。

(用於飯店沒有Mornng Call裝置，多半都是在溫泉區的飯店才會有這種情形)

問： 請問早餐是幾點開始的?
答： 是____點到____點。

問：早餐是在房間吃，還是自己去餐廳吃?
答：◆ 在房間吃就可以了。
　　◆ 要去餐廳吃。
(用於溫泉區的飯店，依飯店規定不同，有些早餐可以在房內吃，有些則需到大餐廳吃)

晚餐想要在房間裡面吃，請_____點時送過來。

請問 CHECK-OUT 的時間到幾點呢?

可沿線剪下

朝_____時にお起してください。

朝食券をください。

質問：朝食は部屋で食べますか?
それとも レストランでですか?
返答：◆ 部屋で食べます。
　　　◆ レストランで食べます。

質問：朝食は いつからですか?
返答：____時から____時までです
。

テェックアウトはいつですか?

晩御飯は 部屋でやりますので、
_____時に持ってきてもらいたい
です。

我想要寄放行李。

我預定明天/今天　　　　　點回來

(用於還沒到CHECK-IN的時間，
就已到達飯店，或者是出去後的行
程會超過CHECK-OUT的時間)

請給我景觀好一點的房間。

(想要可以看到夜景或景致不錯房間
時)

請給我＿＿＿份＿＿＿定食。

我要＿＿＿＿＿(菜名)

（點菜時使用）

請給我咖啡(紅茶)。

(用於早餐點附餐時使用)

今日(明日)_____時にかえります
から・

荷物を預りしたいです。

_____定食を_____人前下さい。

眺めがいい部屋をお願します。

_____にします。

◆ 飲物はコーヒにします。
◆ 飲物は 紅茶ヒにします。

可沿線剪下

飯店資料表

飯店名稱	地址		電話	級別
大阪府大阪市(06)				
阪急飯店	北區茶屋町19－19	阪急電鐵梅田	377-3606	A
大阪東急Hotel	北區茶屋町7－20	阪急電鐵梅田	373-2411	A
大阪Hilton	北區梅田1－8－8	JR大阪站	347-7111	A
大阪第一飯店	北區梅田1－9－20	JR大阪站	341-4411	A
南海 South Tower Hotel	中央區難波5－1－60	難波車站	646-1111	B
東洋 Hotel	北區豐崎3－16－19	地鐵中津站	372-8181	B
新阪急Hotel	北區芝田1－8－1	JR大阪站	372-5101	A
南海假日飯店	中央區心齋橋筋2－5－15	難波地鐵站	213-8281	B
大阪國際	中央區本町橋2-33	地鐵本町站	941-2661	B
大阪府其面市 (0727)				
箕面溫泉飯店	其面市溫泉町1番1號	箕面線箕面站	23-2324	A
京都市(075)				
京都國際	中京區堀川通二條城前	地鐵御池站	222-1111	A
京都新京都	上京區崛丸太町角	近鐵京都站	801-2111	A
京都塔飯店	下京區堀川通五條下ル	JR京都站	341-2411	B
京都新阪急飯店	下京區鹽小路通新町東入ル	JR京都站	341-2411	A
新・都ホテル	南區京都譯八條口	JR京都站	661-7111	A
奈良市 (0742)				
奈良飯店	奈良公園內	近鐵奈良站	26-3300	A
奈良藤田飯店	奈良市下三條町47番1號	JR奈良站	22-0255	A

DIY 完全自助旅遊系列 3

來去大阪、京都

作者＞嚴嘉琪、蔡心語

出版＞動靜國際有限公司

地址＞中和市華新街192巷6弄5號5樓

電話＞（02）8665-68642

傳真＞（02）8665-6849

發行者＞王萱萍

封面與視覺設計＞louisR/studio point design

劃撥帳號＞19167297

戶名＞動靜國際有限公司

總經銷＞知遠文化事業有限公司

地址＞台北縣深坑鄉草尾三巷23號7樓

電話＞（02）2664-8800

傳真＞（02）2664-0490

贊助出版＞ 財團法人鳳凰旅遊基金會

初版＞1999年06月

定價＞NT$：399

行政院新聞局局版臺省業字第683號

中央圖書館預行編目

來去大阪、京都 / 嚴嘉琪著 --初版--

【臺北縣】中和市：動靜國際，1999【民88】

面；　　公分，--（DIY完全自助旅遊系列；3）

ISBN 957-98340-2-4（平裝）

1.大阪市-描述與遊記 2.京都市-描述與遊記

731.759　　　　　　　　　　　　　　88005388

DIY
完全自助旅遊
3

動靜國際有限公司

來去大阪、京都

studio point

DIY 完全自助旅遊 **3**

動靜國際有限公司

來去大阪、京都

Studio point